子どもにウケる！

不思議が解ける！

のネタ大全

Knowing the World's Truths Through Science

話題の達人倶楽部［編］

青春出版社

はじめに

人工知能、5G、自動運転システム、コロナウイルスなど、近頃は、以前に増して科学をめぐるニュースを頻繁に耳にするようになりました。「科学の話題」は、日増しに重要性を増しているといっていいでしょう。

そこで、本書にはいまこそ知っておきたい科学の話を満載しました。集めたのは、物理や化学をめぐる素朴な疑問から、最先端の科学技術をめぐる情報まで、知ってて損のない話ばかり。理系のあらゆる分野から、面白くてタメになる話を厳選しました。とはいえ、数式や物理の公式は出てきませんので、ご安心のほど。理科が得意な方はもちろん、不得意な方にも、科学の面白さをご堪能いただけるはずです。

「コロナウイルスに関する基礎知識」、「リチウムイオン電池の仕組み」から、「カエルが決まって池の北側に上陸する謎」、「ドングリの表面がつるつるしている理由」まで、多種多様な話を収めたこの本があれば、子どもにたずねられても大丈夫、雑談のタネにも困らないはずです。知ってるようで知らない、説明できそうでできない理系の面白話を存分にお楽しみいただければ幸いに思います。

2020年5月

話題の達人倶楽部

子どもにウケる！ 不思議が解ける！ 科学のネタ大全◆目次

1 理系の目でニュースの裏を読む方法……17

新型コロナウイルスの「コロナ」の意味は？ 18
「新型」ウイルスって、どこがどう新しいのか？ 18
PCR検査と、ジュラシック・パークの関係は？ 19
自動ドアはどうして人間にしか反応しない？ 20
生体認証型のスマホが増えているのは？ 22
タッチスイッチの仕組みは？ 23
自動運転技術をめぐる〝むずかしい〟話とは？ 23
人体の細胞数は約60兆個ではないって本当？ 24
そもそも「チバニアン」って何？ 25
誰がどうやって電波時計の電波を飛ばしている？ 25
いまや「AI」は人工知能に限らない⁉ 27
ダイオウグソクムシは本当に絶食する？ 27
投票用紙がしぜんに開く仕組みは？ 28
人工雪はどうやって凍らせている？ 29
宇宙船がカプセル型に戻ったのは？ 30
優性遺伝、劣性遺伝という言葉はどこに消えた？ 31
サイレンサーを付けると、銃声を消せるのは？ 31
パラシュートのてっぺんに穴が開いているのは？ 32
LNGタンカーに、危険なガスをどうやって積み込む？ 33
地熱発電所の仕組みは？ 34
風力発電の風車の羽根が決まって3枚なのは？ 35
ダイヤモンドは、どうやってできた？ 36
恐竜の標本作りで、骨が足りないときはどうする？ 37

ワープ航法は、なぜ不可能と結論づけられた？　37
不知火はどうして起きる？　39
幽霊船の正体を科学的に説明すると？　40
放射能温泉に安心して入浴できるのは？　41
人間がさらに進化すると、どんな生物になる？　43

2 家電、日用品、乗り物…「モノ」の意外な科学とは？……45

永久磁石は本当に〝永久〟にもつのか？　46
ゴルフボールの表面にくぼみがある理由は？　47
切れ目がなくてもどこからでも切れる袋の謎とは？　48
芳香剤入り消臭剤が〝芳香〟まで消臭しないのは？　49
ヘルスメーターは、北海道用と沖縄用で〝別物〟？　50
ハンドクリームに「尿素」が入っているのは？　51
どうしてコンタクトレンズはくもらない？　51
プラモデルの部品が連なっているのは？　52
シャープペンシルの芯はどうやって作る？　53
撥水スプレーを使うと、革が水滴をはじくのは？　54
静電気防止スプレーの中身は？　55
使い捨てカイロをもむと、なぜ発熱する？　56
紙コップがアルコール類に弱いのは？　57
風船はふくらませるときが大変なのは？　58
フリスビーが、回転させないと飛ばないのは？　59
リンスインシャンプーの目のつけどころとは？　59
化学ぞうきんがほこりを吸い取る仕組みは？　61
うどんがシュレッダー発明のヒントになった理由とは？　62
コンピュータ誕生をめぐる意外な出来事とは？　63
バーコードには、そもそもどんな内容が書かれている？　65
耐火金庫に「発泡コンクリート」が使われているのは？　66
レシートの文字が時間が経つと消えるのは？　68

木材から、どうやってベニヤ板をつくる？ 68
くもらない鏡のマジックとは？ 69
ラメの素材はいったい何？ 71
磁石は、名前のとおり「石」なのか？ 72
オカリナを作るとき、石鹸を使うのは？ 73
洗濯バサミがボロボロになってしまう原因は？ 74
浴槽センサーがお湯の量をはかる仕組みは？ 75
家庭用浄水器が水をきれいにする仕組みは？ 75
エアコンは、どうやって部屋の空気を冷やしている？ 76
エアコンの除湿機能を簡単に言うと？ 77
電子レンジで温めると、「冷めるのが早い」って本当？ 78
冷蔵庫の野菜室が、〝大きなタッパー〟といわれる理由は？ 80
便器はどうやってあの形にする？ 81
火災報知器はどうやって火事を発見する？ 82
人工大理石は、どうやって作る？ 83
航空機用燃料と自動車のガソリンとの違いは？ 84
旅客機が、あえてエアコンを搭載していない理由は何？ 85
スピードの出るジェット機ほど、翼が小さいのは？ 86
滑走路と、普通の道路はどう違う？ 87
飛行機の胴体は、なぜ丸いのか？ 88
新幹線のブレーキは、どうなっている？ 89
レールの断面が「エ」の形をしているのは？ 90
船の速度はどうやって測る？ 91
船にはハンドルがついているのか？ 92
船体に穴があいても、簡単には沈まないのはなぜ？ 93
カーナビの到着予測時刻の計算方法は？ 94
クルマのマフラーがエンジン音を小さくする仕組みは？ 95
満タンになると自動ストップする給油機のカラクリは？ 96
不凍液を入れると、水が凍りにくくなるのは？ 97

3 科学で考えると、もっと美味しい！ もっと楽しい！……99

「3秒ルール」を科学的に検証すると？ 100
甘い飲み物がなぜカロリーゼロなのか？ 100
ビールの泡がなかなか消えないのは？ 101
保存料を使わずに作れるあんパンの謎とは？ 102
食べ物は、アルカリ性と酸性、どこで分かれる？ 103
ガムの硬さは、どうやって調節している？ 104
柿ピーの袋に窒素が詰められているのは？ 105
おいしい水は、何をもって「おいしい」とされるのか？ 105
砂糖で熱いコーヒーが冷めてしまうのは？ 107
あずきバーはなぜあんなにかたい？ 107
丸い氷が四角い氷よりも溶けにくいのは？ 108
厚いグラスほど、熱湯で割れやすくなるのはなぜ？ 108
普通の鍋の蓋に重しを置けば、圧力鍋になるか？ 109
日本酒の値段の違いは何の違い？ 110
無洗米が洗わなくても食べられるのは？ 112
大根とにんじんの相性が悪いのは？ 113
トウモロコシの粒の数が必ず偶数になるカラクリは？ 115
1キロの牛肉をつくるために、どれだけの穀物が必要？ 116
関東と関西でネギが大きく違うのは？ 117
かき混ぜると、ぬか味噌がおいしくなるのは？ 118

4 ワクワクするほど面白い宇宙の神秘、地球のナゾ……121

宇宙空間では、接着剤なしで金属がくっつくのは？ 122
ダイヤモンドだらけの惑星が発見された!? 122
ガスでできている星がまとまっていられるのは？ 123
宇宙空間に滞在中、宇宙飛行士の背が伸びるのは？ 124

宇宙空間では、星がまたたいて見えないのは？ 125
ブラックホールをひと言で簡単に説明すると？ 126
冥王星が惑星ではなくなったのは？ 128
彗星は、そもそもどこから飛んでくるのか？ 129
銀河の名につく「M」や「NGC」って、何の略？ 130
静止衛星が止まっているように見えるのは？ 131
低温の宇宙空間に接している地球が暖かいのは？ 132
ロウソクは無重力状態で燃えるか？ 133
無重力状態で、木はどう伸びる？ 134
月はどのように誕生したのか？ 135
「月は、地球に近づきすぎると爆発する」って本当？ 135
月面にいる宇宙飛行士同士が会話できないのは？ 137
月の重力が6分の1なら6倍ジャンプできるか？ 138
月にも地震はあるのか？ 138
太陽の黒点が黒く見えるのは？ 139
太陽は最期にはどうなる？ 140

V字谷や扇状地は、どうやってできる？ 141
雲が水滴の集まりなのに、宙に浮かんでいられるのは？ 142
南極と北極では、どっちが寒い？ 143
地下水はなぜきれいでおいしいのか？ 144
海水の塩分は、どこからやってきた？ 145
白い火山が黒い火山より危ないといわれるのは？ 146
海は、なぜ青くみえる？ 148
高潮はどうやって起きるのか？ 149
そもそも、雨はどうして降るのか？ 150
「大気が不安定」って、どんな状態？ 150
雨が降り出しそうなとき、雲が濃い灰色になるのは？ 151
天気が西から東に変わるのは？ 152
春と秋は、晴れがなかなか続かないのは？ 153
喘息に注意しなければならない秋の日とは？ 154
晴れていても気温が下がる放射冷却は、どうして起きる？ 155
PM2・5の「2・5」って何のこと？ 156

気圧の単位を「ヘクトパスカル」というのは？　157
「クリスマス寒波」がやってくる理由は？　158
冬場、強風が吹くメカニズムは？　158
日本に梅雨があるのは？　159
台風はどうやって発生するのか？　160
台風の進路はどうやって決まる？　161
ヒートアイランド現象はなぜ起きる？　162
エルニーニョ現象って、どんな現象？　163
フェーン現象って、どんな現象？　164
竜巻はなぜ起きる？　165
「温室効果」はなぜ起きる？　166
地震はなぜ起きる？　167
地震のときに伝わるP波とS波とは？　168
震源は、どうやって突きとめるのか？　169
震源地から遠く離れた場所が強く揺れるワケは？　170
地震で液状化現象が起きるのは？　170
津波が来る前に波が引くのは？　171
雷はなぜゴロゴロと鳴る？　172

特集1　世界を変えた10人の科学者　173

5　大人なら知っておきたい人体をめぐるウソとホント……189

薬のカプセルは、何でできている？　190
手術用の体内で溶ける糸の〝原料〟は？　190
注射針のチクッという痛みが昔より軽くなったのは？　191
体重計は体脂肪率をどのように測っている？　192
失恋すると、食事ものどを通らなくなるのは？　193
睡眠中、体がストンと落ちる感じがするのは？　193
怒ると、本当に頭に血がのぼるか？　194

鼻が詰まると、味がわからなくなるのは？ 194
冷たいものに触ると、痛みを感じるのは？ 195
石頭の「硬度」はどれくらい？ 196
くさいと感じても、しばらくすると〝慣れる〟のは？ 197
恐怖に襲われたとき、顔から血が引くのはなぜ？ 197
声の質を決定するものは何？ 198
噂の「臍帯血」はどうやって集められている？ 198
マイコプラズマって、何者？ 199
なぜ潜水病にかかるのか？ 200
「痛風」とビールの意外な関係は？ 200
ビフィズス菌は、なぜお腹にいいのか？ 202
大酒を飲むと、右の肋骨の下が痛むのは？ 203
天気が悪くなると、古傷が痛むのは？ 203
一流スポーツ選手が意外に体が弱いのは？ 204
うたた寝をすると、風邪をひきやすいのは？ 204
人間も、冬になるとすこしは毛深くなっている？ 205
そもそも、どうして胆石ができる？ 205
多くとりすぎると危険なビタミンって？ 206
ビタミンB群の「群」って何？ 207
コレラ菌を飲み干した学者のその後とは？ 207
抗生物質の使い過ぎがもたらした新事態とは？ 209
100度のサウナで、やけどをしないのは？ 210
日焼け止めが日焼けを防げるワケは？ 211
座って勉強しているだけで、腹が減るのは？ 212
蚊に刺されると、なぜかゆくなる？ 212
コラーゲンで〝お肌ぷるぷる〟は本当か？ 213
体がひえることと風邪の関係は？ 214
口のなかが乾くドライマウスの原因とは？ 216
汗をかいていなくても加齢臭が臭うのは？ 217
心電計は、どうやって心臓の動きを測定している？ 218
レントゲン検査で、バリウムを飲むのは？ 220
背骨はなぜ曲がっている？ 221

人が味を感じる仕組みは？ 222
音が聞こえる仕組みは？ 222
砂糖の摂り過ぎはどこがどうキケンなのか？ 223
そもそもどうしてゲップがでるの？ 225

6 子どもに聞かれて困らない生物の新常識 227
動物園にいる熱帯の動物は、日本の冬をどう乗り切る？ 228
実は、イヌはネコと同じくらい〝猫舌〟だった!? 229
ネコはまばたきをすることはないのか？ 230
ネコ科のライオンはマタタビで酔っぱらうか？ 230
イヌの口のまわりが黒っぽいのは？ 231
シマウマがシマウマである理由が、ついに判明!? 232
冬眠中のクマは大便をどう処理している？ 233
ホッキョクグマが氷の上を滑らずに歩けるのは？ 234
ホッキョクグマは南極でも暮らしていける？ 234
コアラはなぜ蚊に刺されない？ 235
サルは本当にノミを取り合っているのか？ 235
「アリクイはアリしか食べない」のウソとは？ 236
イノシシの〝猪突猛進〟のスピードは？ 237
ウサギは泳ぎが得意？ それとも苦手？ 237
スカンクは自分のオナラの臭いにまいらないの？ 238
タヌキは本当に狸寝入りするか？ 239
シカが樹木に角をこすりつける目的は？ 239
毛を刈られたヒツジは、風邪をひかないのか？ 240
ブタの尻尾がくるくると丸まっているのは？ 241
名前の通り、ヤマアラシは本当に山を荒らす？ 241
体に比べて、リスの尻尾が大きいのは？ 242
カバはスカスカの歯でうまく噛めるのか？ 242
カバがいつもアクビばかりしているのは？ 243

ウマはどうして〝馬面〟なのか？ 244
ウマの目があんなに大きいのは？ 244
ハリネズミは出産のとき、産道を傷つけない？ 245
腐った肉を食べるハイエナがお腹をこわさないのは？ 246
ラクダが口をいつもモグモグと動かしているのは？ 246
赤ちゃんラクダにも、コブはあるのか？ 247
マンモスの頭のコブには何が入っている？ 248
サイは「火を見ると消しにくる」って本当？ 248
モグラが土の中にいても酸欠にならないのは？ 249
アリジゴクはアリが取れないとき、どうする？ 250
小さな虫が雨粒に弾き飛ばされずに飛べるのは？ 250
アリはチョークで引いた線を越えられない!? 251
カエルが水中でも鳴くことができるのはなぜ？ 252
なぜカエルは決まって池の北側に上陸する？ 253
カメが甲羅干しをする目的は？ 254
ワニは、大きな鼻の穴に水が入らない？ 255

どうしてヘビの舌先は二つに分かれている？ 255
毒ヘビに2回目噛まれると、血清が効かない!? 256
トカゲの尻尾は何度でも再生可能か？ 257
食べ物のない風呂場に、ゴキブリが現れるのは？ 258
カタツムリの殻は、どうやって大きくなっていく？ 259
ミンミンゼミのいる場所は東日本と西日本で違う!? 259
女王バチと交尾したオスの悲劇とは？ 260
ハエがツルツルのガラスの表面にとまれるのは？ 262
「寿命がない生き物」の知られざる正体は？ 263
ミドリムシって、動物？ それとも植物？ 264
チョウは本物の花と造花を区別できるか？ 265
ウグイスは本当に梅にとまるのか？ 265
トンビがクルリと輪をかくのは？ 266
ツバメが木の枝にはとまらないのは？ 267
渡り鳥はどうやって渡る時期を知る？ 268
ダチョウのタマゴは、暑さでいたまないのか？ 268

伝書バトが30%も帰ってこなくなっているのは？　269
コウモリは何のために逆さまにぶら下がる？　270
哺乳類のイルカが〝潜水病〟にならないのは？　270
マッコウクジラの頭の中には何が詰まっている？　271
人食いザメの数がそれほど増えないのは？　272
ペンギンが首を左右に振り続けるのは？　273
アワビの貝殻に穴が多数開いているのは？　274
タラバガニが「カニの仲間ではない」って本当？　274
デンキウナギはデンキウナギに感電するか？　276
「弱った金魚は塩水に入れると元気になる」って本当？　277
冷たい海にいる魚を暖かい海に放流するとどうなる？　277
魚の群れにボスはいるか？　278
タコがタコ壺に入りたがるのは？　279
ワカサギが氷の下でも生きていけるのは？　279
アユが日本の川にだけ多いのは？　280

7　学校では教えてくれない植物と自然の新常識……**283**

植物はなぜ〝立って〟いられる？　284
最も種類が多いのは何科の植物？　284
植物はなぜ緑色をしている？　285
針葉樹の先がとがっているのは？　285
花の色はどうやって決まるのか？　286
熱帯の植物に赤い花が多いのは？　287
高山植物はどうやって寒さに耐えている？　287
葉の表側が裏側より濃い緑色をしているのは？　288
植物はどうやって〝近親婚〟を回避している？　288
種をまくとき、土中深く埋めてはいけないのは？　289
「草いきれ」の〝臭い〟って何？　290
田んぼの水が土の中にしみこんでなくならないのは？　290
樹木も〝体調〟が悪くなると熱が出るか？　291

盆栽の松が鉢の中で生きつづけられるのは？ 292
マツヤニは何のために出る？ 292
サクラの木にアリがよく登るのは？ 293
ギンナンの実はなぜ臭い？ 294
野生のエノキダケは白くないって、本当？ 295
オジギソウはなぜお辞儀をする？ 295
柿に「なり年」と「ならず年」があるのは？ 296
枯れても葉が落ちないカシワの謎とは？ 296
クルミの木の下ではなぜ他の植物が育ちにくい？ 297
ハチも寄り付かないほどクロユリが臭いのは？ 297
コスモスはなぜ秋に咲くのか？ 298
サボテンにはなぜトゲがある？ 299
サルスベリの幹がツルツルしているのは？ 299
スズランは実は〝毒草〟というが…？ 300
どうしてタケは急成長できる？ 300
ツバキはなぜ虫のいない冬に咲く？ 301

結局、バラのトゲは何のためにある？ 301
ホオズキの「袋」は、植物のどの部分にあたる？ 302
「日本のホプラはオスばかり」って本当？ 302
なぜ、わざわざムギは踏みつけて育てる？ 303
川岸によくヤナギが植えられているのは？ 303
ヤドリギはどうやって樹木にとりつく？ 304
スギの林が台風に弱いのは？ 304
チューリップが昼頃に咲くのは？ 305
マングローブが海の中でも成長できるのは？ 306
バナナはどうして茶色くなる？ 306
モミジとカエデはどう違う？ 307
ドングリの表面がつるつるしている目的は？ 308
ネギに〝坊主〟ができるのはどうして？ 308
海岸にはクロマツが植えられるのは？ 309
サツキが険しい崖に好んで咲くのは？ 309
マメの木が〝やせ地〟に強い理由とは？ 310

8 敬遠していた物理と化学、これだけはおさえよう……311

エレベータの中で、重さをはかると重量は変わる？ 312
鳥籠の中で鳥が飛んでいるときの鳥籠全体の重さは？ 313
地震計も揺れるのに、なぜ地震の揺れを測定できる？ 313
空気よりも重い二酸化炭素は、なぜ地表にたまらない？ 315
導体、半導体、絶縁体の違いは？ 316
遠赤外線って、どんな赤外線？ 317
光の速さをどうやって計算した？ 318
物体の三態とは？ 319
真空状態は何もない状態ではない⁉ 320
半径10メートル以上のメリーゴーラウンドの〝悲劇〟とは？ 321
ネオンサインにネオンが使われるのは？ 322
アスベストは、何がどう恐ろしいのか？ 323
合金にすると、金属の性質が一変するのは？ 324
なぜ、木材は伐採して数百年してからの方が強くなる？ 325

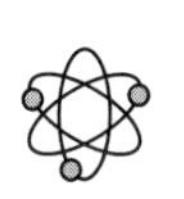

タマネギを切ると目がしみる本当の理由は？ 326
1円玉をこすり合わせると黒い粉が出るのは？ 326
ステンレスがサビないのはどうして？ 328
リトマス試験紙の原料は？ 329
周期表の誕生をめぐるウソのような話とは？ 330
塩素（Cl）が水道やプールの殺菌に使われるのは？ 331
ウラン（U）と天王星（ウラヌス）の関係は？ 332
プルトニウム（Pu）と冥王星（プルート）の関係は？ 333
酸素（O）の発見者が〝2人〟いるのは？ 333
窒素（N）が爆薬によく使われるのは？ 334
硫黄（S）はどんなところで〝臭っている〟？ 335
カリウム（K）は、体の中でどんな働きをしている？ 336
タンタル（Ta）が人体の〝補修〟によく使われるのは？ 337
マグネシウム（Mg）がモバイル機器に欠かせないのは？ 337
タングステン（W）がフィラメントに使われるワケは？ 338
コバルト（Co）って、どういう意味？ 339
ケイ素（Si）の英語名シリコンって、どういう意味？ 340

ヘリウム（He）を吸い込むと声が変わるのは？ 341
金属元素の中で、水銀（Hg）だけが液体なのは？ 341
なぜリチウム（Li）は脚光を浴びるようになった？ 342
アルミニウム（Al）は昔、金よりも高価だった⁉ 343
人類が鉄（Fe）を使い続けてきたのは？ 344
銅（Cu）がコインによく使われるのは？ 344
サビやすい亜鉛（Zn）をなぜメッキに使う？ 345
銀（Ag）が食器に使われてきたのは？ 346
高価な白金（Pt）が触媒としてよく使われるのは？ 347
鉛（Pb）が古代ローマを滅ぼしたという説があるのは？ 347
金（Au）が金色に輝いているのは？ 348
フッ素（F）が虫歯の予防に役立つのは？ 349
リン（P）が人体から発見されたのは？ 349
バナジウム（V）が自動車産業を生み出したってホント？ 350
ヒ素（As）を飲むと、どんな症状が現れる？ 351
アルゴン（Ar）って、どういう意味？ 352
タリウム（Tl）が暗殺によく使われてきたのは？ 352
ポロニウム（Po）は暗殺事件でどう使われた？ 353
ネオジム（Nd）の〝最強磁石〟としての使い道は？ 354

特集2　世の中の裏側が見える！気になる単位の大疑問 355

カバーイラスト■iStock.com/Михаил Соколов
本文イラスト■Liubou Yasiukovich/shutterstock.com
Vadim Almiev/shutterstock.com
DTP■フジマックオフィス

1

理系の目で
ニュースの裏を
読む方法

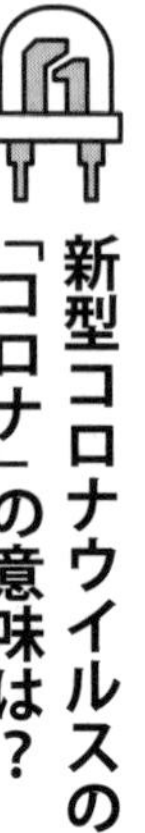

新型コロナウイルスの「コロナ」の意味は？

コロナウイルスの「コロナ」は、ラテン語、ギリシャ語で、王冠や光冠（光の輪）を意味する「コロネ」に由来する言葉。

電子顕微鏡などで、コロナウイルスを観察すると、丸い本体の周囲に突起が突き出していることがわかる。その形状が、王冠や太陽の光冠（コロナ）を思わせることからのネーミングだ。

なお、英語では、王冠のことを「クラウン（crown）」というが、コロナウイルスは、英語でもCorona virusだ。

「新型」ウイルスって、どこがどう新しいのか？

コロナウイルスは、現在、知られているだけでも、40種類もある。

最近、よく耳にするようになった名ではあるが、その〝歴史〟はけっこう古く、１９３０年代には、すでに鳥の体から発見され、１９４０年代には豚とマウスから発見されている。以降、犬、牛、ラクダなど、さまざまな動物から、コロナウイルスは発見・分離されてきた。

そのうち、ヒトに感染するのは6種類で、しかも4種類は普通のカゼウイルスだ。要するに、ほとんどのコロナウイルスは人体にとって、無害か、さほど危険ではないウイルスだった。

しかし、コロナウイルスは2002年、人間に対して牙をむいた。2002～3年に流行したSARS（サーズ）は、正式には「重症急性呼吸器症候群」と呼ばれるほど、重篤な症状を引き起こした。それが、これまで、ワクチンや専用の薬がほとんど開発されてこなかったことの理由でもある。

また、2012年以降に流行したMERS（マーズ、中東呼吸器症候群は、感染者数こそ、約2000人と少なかったが、その致死率は30％にも上った。

そして、2020年、世界を震撼させている「新型コロナウイルス」。人間に感染する新しい7種類目のウイルスであることから、「新型」と呼ばれることになった。

PCR検査と、ジュラシック・パークの関係は？

映画『ジュラシック・パーク』は、ご存じのように、恐竜を現代によみがえらせる映画である。

その方法は、昔、恐竜の血を吸って、その後、琥珀に閉じ込められた蚊の体から、恐竜の遺伝子を取り出そうというものだ。

その際、蚊から取り出せるごく微量の遺

伝子から、恐竜をつくり出すには、遺伝子を培養し、大きく増やさなければならない。それに使われる手法が「ＰＣＲ（ポリメラーゼ連鎖反応）」であり、現在、コロナウイルス感染の判定検査にも使われている方法だ。

ポリメラーゼとは、ＤＮＡやＲＮＡのような核酸ポリマーなどを合成する酵素のこと。

ＰＣＲでは、その酵素を使い、ウイルスの遺伝物質を増やして検出する。この遺伝子を増やす過程に時間がかかることが、日本でなかなか検査数が増えない理由のひとつだった。

自動ドアはどうして人間にしか反応しない？

海外の観光客が来日して驚くことの一つに、「自動ドア」の多さがある。

たしかに、日本では、ホテルやビル、レストラン、コンビニなど、店舗や施設の出入り口はもちろん、タクシーにまで設置されているが、世界広しといえども、これほど多数の自動ドアが設置されている国は珍しい。じっさい、日本には、世界全体の4分の1の自動ドアが集中しているといわれる。

その自動ドアの最近のセールスポイントは、人間以外には反応しないという点。たとえば、イヌやネコが近づいてもドアが開かないのは、人間以外のものでは作動しないようにセンサーに記憶させているからである。

そういえば、昔の自動ドアは、子供が近づいても開かなかったり、大人でも近くまで寄らないと開かないことがあった。そうかと思えば、雪や雨が吹きつけてもドアが開いたりしていたものだ。

そもそも、小さな子供に反応しないことがあったのは、昔の自動ドアは、ドア手前のゴムマットの下にスイッチが設置されていたからである。人間がゴムマットの上に乗ると、その体重を感知してドアが開くという仕組みだったため、体重の軽い幼児が乗っても感知されず、ドアが開かないことがあったのだ。一方、大型犬が乗ると、ドアが開いた。

その後、自動ドアには近赤外線センサーが導入された。ドアに人間が近づくと、センサーが感知してスイッチが入り、ドアが開くという仕組みである。ところが、かつてのセンサーは、通行人が近くを通っただけで開くという誤作動を防ぐため、近赤外線を5本程度に限定していた。

そうして、検知エリアを狭くして誤作動を防いでいたのだが、その反面、ドアに接近しないと開かなかったり、床のマットと色の似ている服を着ている人には反応が鈍いなどの欠点があった。

　現在のセンサーは、近赤外線の数が50本以上ある。さらに、制御システムの性能も大幅にアップし、雪や雨、イヌ、鳥など、さまざまなもののパターンを記憶し、人間が接近したとき以外には反応しないようにプログラミングされている。

生体認証型のスマホが増えているのは？

　一昔前まで、「生体認証」はなかばＳＦの世界の話だった。指紋や虹彩のしわなどで個人識別する技術は、厳重に管理された特殊な場所では用いられていたものの、コストが高すぎたため、一般人には映画で観るくらいの存在だったのだ。

　ところが、ここ十年ほどで、指紋センサー付きのスマホが爆発的に普及した。２０１３年にはまだ、指紋センサー付きのスマホは、世界全体のスマホ出荷台数のわずか３％にすぎなかったが、４年後の２０１７年には約半数のスマホが指紋センサー付きになったのだ。いまでは新型機種では標準装備といっていい状態になっている。

　これは、大量生産することによって、指紋センサーのコストが爆発的に下がったから、実現したこと。スマホは、ＳＦ的な技術をまたひとつ、一般人にとっても現実のものにしたといえそうだ。

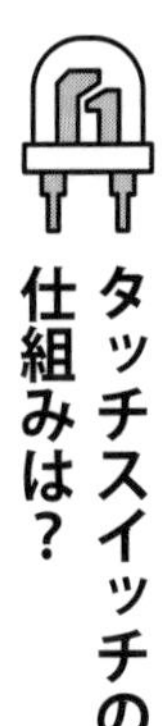

タッチスイッチの仕組みは？

タッチスイッチは、指先で軽く触れるだけで、オンにしたり、オフにしたりすることができるスイッチ。ぷちっと押しこまなくてもオン・オフにできるのは、スイッチに触れたときに生まれる静電気を利用しているからだ。

タッチスイッチの中には、タッチ電極と呼ばれる部品がはいっている。タッチ電極は、指が触れることによって生じる静電気をキャッチすると、その信号を電気をオン・オフする信号に変えるのだ。

自動運転技術をめぐる〝むずかしい〟話とは？

目下、世界の各メーカーが自動運転車の開発に力を注いでいる。自動運転化で主導権を握ったメーカーが、自動車産業の次の覇者になることは、ほぼ間違いない情勢だからである。

自動運転システムは、カメラ、レーダー、音波センサーなどを駆使して、周囲の運転環境を把握、それをデータ化して人工知能で計算、自動的に最適の運転をするシステムといえる。その初期段階といえる自動ブレーキと先行車に対する追従走行などは、すでに実用化が進んでいる。

実用化が進むにつれて、自動運転をめぐっては、ひとつの大きな倫理問題が浮上している。

運転者と歩行者のいずれの命を守るかという問題だ。たとえば、そのまま進めば歩行者をはねてしまうが、急ハンドルを切れば障害物にぶつかり、運転手が命を落としかねない状況のとき、どう判断すればいいのか？　具体的には、どうプログラミングすればいいのか？――そうした倫理問題も克服しなければ、自動運転を完全実用化することはできないというわけだ。

人体の細胞数は約60兆個ではないって本当？

これまで、「人体の細胞数は約60兆個」というのが、研究者の間でも一般人にとっても常識だった。しかし、近年、人体の細胞数について、「約37兆個」という数字も目にするようになっている。

きっかけは、その〝常識〟に疑いをもったイタリアのボローニャ大学の研究者が、最新のデータをもとにして再計算し、細胞の総数を約37兆2000億個であると発表したことにある。

しかも、その細胞のうち、3分の2を占めていたのは、特殊な細胞である赤血球で、その数は26兆3000億個。体を形づくっている他の細胞は、すべて合わせても11兆個余りしかなかったというのだ。

そもそも「チバニアン」って何？

2019年の国際学会において、「チバニアン」が、地層年代の名称として国際的に認定された。具体的には、新生代・第四紀・更新世の一部の期間にあたる。地質年代名に日本の地名が採用されたのは初めてのことだ。

「チバニアン」と名づけられた年代は、約77万4000年前から12万9000年前の間。この年代の始まりとなる約77万年前は、地球の磁気の南北逆転現象（N極とS極が入れ替わる）が最後に起きた時期である。その特殊な現象の証拠がはっきり確認できるところから、この地が年代名に選ばれたのだ。

誰がどうやって電波時計の電波を飛ばしている？

電波時計は、高性能アンテナで「標準電波」を受信して、誤差を自動修正する時計。10万年に1秒程度の誤差しか生じないといわれるが、そのもととなる「標準電波」は、東日本は福島県大鷹鳥谷山、西日本は福岡と佐賀の県境に位置する羽金山から飛んでくる。

それらの送信局には、「セシウム原子時計」と呼ばれる時計が設置されている。この時計も、誤差が10万年に1秒程度といわれるほど正確だ。送信局はその時計の時刻情報をデジタル電波信号に変換して送信している。この二つの送信所で、小笠原諸島や先島諸島などをのぞく日本全土をほぼカバーしている。

一方、各家庭などにある電波時計は、その送信局から送られてくる電波を内蔵アンテナでキャッチ。受信機で増幅し、マイクロプロセッサに送る。マイクロプロセッサで時刻信号の解読を行い、モーターを通して正しい時刻に合わせている。

かつて、標準電波の送信には短波が使われていたが、現在では、長距離まで安定した送信のできる長波に切り替えられた。そのため、送信精度は格段にアップし、電波を受信できる場所では、秒単位で正確な時刻を知ることができるようになった。

ただし、マンション内の奥まった部屋や変電所周辺、高圧電線や電車の架線近くなどのように、同じ長波を利用するラジオのＡＭ放送が入りにくいところでは、標準電波も受信しにくくなるので、誤差が生じることがある。

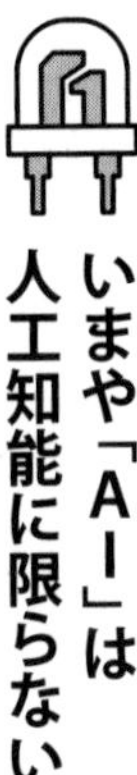

いまや「AI」は人工知能に限らない!?

最近話題の人工知能は、「AI」とも呼ばれる。

これは、Artificial Intelligenceの略で、Artificialは「人工の」という意味。Intelligenceは、知性や知能を意味する。

ところが、〝理科系〟の間では、人工知能以外にも、「エーアイ」と略される専門用語が数多くある。

たとえば、エイビアン・インフルエンザ（Avian influenza）は鳥インフルエンザのことで、エア・インターセプター（Air interceptor）は空中迎撃機のこと。だから、医師や軍事専門家が「エーアイ」といったときには、人工知能とは違うものを指していることもあるというわけ。

ダイオウグソクムシは本当に絶食する？

ダイオウグソクムシは、メキシコ湾やインド洋の深海にすむダンゴムシの仲間。体長は最大で50センチと、ダンゴムシの仲間としては世界で最も大きい。

2019年、三重県の鳥羽水族館でダイ

オウグソクムシが死んだことがニュースになった。世界で数例といわれる体の後ろ部分の脱皮が終わり、もし体の前の部分の脱皮に成功すれば、世界初となるところだったが、その前に力尽きたようだ。

ダイオウグソクムシは、深海では他の生物の死骸などを食べているとみられるが、〝少食〟であることでも有名で、半年くらいの絶食は当たり前。同じ鳥羽水族館で2007年から飼育されていた個体にいたっては、2009年1月から2014年2月に死ぬまでの間、何も食べなかったことが観察されている。

5年も絶食して、なぜ生きていけるのか——その謎は解明されていない。しかも、その体重を計ったところ、絶食期間中には体重が増えていた時期もあったという驚きの結果が出ているのだ。

投票用紙がしぜんに開く仕組みは？

選挙の投票用紙には、時間がたつと、しぜんに開く合成紙が使われている。かつては、折りたたんである投票用紙をいちいち開かねばならず、開票作業に時間がかかっていた。今はしぜんに開く合成紙を利用することで、開票作業が楽になり、開票に要する時間も短縮されている。

その合成紙の特徴は、ポリプロピレンを素材とし、木材パルプを使っていないので、繊維をもたないこと。そのため、折れにくく、たとえ折ってもすぐに元に戻る。だから、合成紙製の投票用紙は、有権者が折って投票箱に入れても、箱の中では平たく開いている。

何重に折っても元に戻るので、投票箱を開けたときには、投票用紙が平らな状態で積み重なっているというわけ。

人工雪はどうやって凍らせている？

屋内スキー場などで使われている「人工降雪機」は、どうやって雪をつくりだしているのだろうか？

その方法は、大きく分けて2つある。ひとつは氷を使う方法で、もうひとつは圧縮空気と水で雪をつくりだす方法だ。

前者は、スキー場に設けた製氷施設で薄い氷をつくり、機械で砕いて細かい氷粒（つまりは雪）にしてスキー場にまく。

一方、後者の圧縮空気を使う方法では、「スノーガン」という機械を用いる。圧縮空気と水を混ぜ合わせ、ノズルから一気に空中に噴出すると、断熱膨張という原理が働いて、圧縮空気の温度が急激に下がり、噴出される水が雪に変わるという仕組みだ。

今は、スノーガンが主流になっているが、その使用にはひとつ条件があって、断熱膨張の原理を働かせるためには、外気温が氷点下でなくてはならない。暖冬だと、人工雪を〝降らせる〟ことも難しくなるのだ。

宇宙船がカプセル型に戻ったのは？

宇宙開発草創期からアポロ計画の時代は、カプセル型の宇宙船が使われ、その後は飛行機型のスペースシャトルが、乗員を宇宙へ運んでいた。そして現在は、飛行機型ではなく、草創期に逆戻りしてカプセル型の宇宙船が使われている。

これは、安全性がまったく違うことが経験的にわかったためである。スペースシャトルは、使い捨てのカプセル型と違って、何度でも使えることが長所だったが、結果的にひじょうに危険な乗り物だった。チャレンジャー号とコロンビア号が空中爆発し、計14人が命を落とすなど、最後まで安全性の問題を克服できなかった。

一方、カプセル型の代表格であるロシアのソユーズは、1971年に3人が亡くなる事故を起こして以来、ほぼ半世紀間、事故を起こしていない。現在も、国際宇宙ステーションへの移動には、ソユーズが使われている。

優性遺伝、劣性遺伝という言葉はどこに消えた？

2017年、日本遺伝学会は遺伝用語の一部を改めて、今後は「優性遺伝」、「劣性遺伝」という言葉を使わないことにすると発表した。〝誤解〟を防ぐための措置だという。

「優性」と「劣性」は、メンデルなどの遺伝学の訳語として長く使われてきた言葉であり、この場合の「優性」は遺伝による特徴が現れやすいことで、「劣性」は現れにくいことを意味する。その特徴が優れていたり、劣っていたりするという意味ではないのだが、誤解されることもあった。

そこで、今後は、優性は「顕性」、劣性は「潜性」と言い換えることにしたのだが、定着するかどうかはこれから、である。

サイレンサーを付けると、銃声を消せるのは？

銃声は、おもに2つの音から成り立っている。ひとつは、弾丸が飛ぶことによる衝撃音、もうひとつは、燃焼ガスの噴出音である。弾丸を発射すると、燃焼ガスが銃口から一気に噴出し、急激に膨張する。そのとき、破裂音が響くのだ。

後者の燃焼ガスの破裂音は、サイレンサ

ーを装着すれば、かなりおさえられる。サイレンサーは、バッフルと呼ばれる細かな空気室を多数備えた構造になっていて、銃の先端部に取り付けると、燃焼ガスを拡散することができる。それによって、噴出音をおさえられるのだ。

ただし、サイレンサーでは、弾丸の衝撃音はおさえられないので、銃声を完全に消すことはできない。

パラシュートのてっぺんに穴が開いているのは？

今どきのパラシュートの上部には、「頂部通気孔」と呼ばれる穴が開いている。パラシュートは、あの穴があるからこそ、安全に着陸できる。あの穴がないと、地上へ向かうとき、空気がどこから溢れ出るかわからないため、パラシュートが大きく振られる危険性があるのだ。じっさい、昔の穴のないパラシュートでは、そうした現象が続出した。

そこで、上部に穴を開けるという改良が施され、空気を徐々に逃がすことによって、パラシュートの安定と安全性が確保されるようになった。また、上部に穴を開けると、パラシュートが開く際のスピード変化がゆるやかになって、利用者の〝股間〟への衝撃をおさえるというメリットもある。

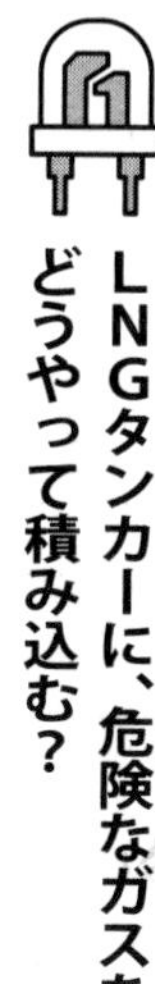

LNGタンカーに、危険なガスをどうやって積み込む？

「LNG」は液化天然ガスの略。天然ガス（主成分はメタン）を冷却した無色透明の液体である。

天然ガスは、マイナス162度まで冷却すると液体になり、気体の状態に比べて体積が約600分の1にまで減少する。その性質を利用すれば、大量輸送・貯蔵が可能になるので、日本は液体状態で輸入し、都市ガスや火力発電所の燃料として用いている。

輸入先はインドネシアやマレーシア、カタール、オーストラリアなどで、日本までは専用タンカーで運んでいるが、どうやってガスのような危険物質を船に積み込んで運んでいるのだろうか？

LNGの積み込みは、以下の4段階に分けられて慎重に行われている。まず、タンク内に空気（酸素）が残っていると、LNGが爆発する恐れがあるので、タンク内の空気を完全に抜いておく必要がある。そのため、「不活性ガス」と呼ばれる気体をタンクの底部から注入する。不活性ガスは空気よりも重いので、これによって空気がタンク上部から抜けていく。

次に、不活性ガスが充満したタンクに、

天然ガスを注入して、今度は不活性ガスを抜く。こうして、タンク内に天然ガスを充満させると、タンクをマイナス162度まで冷やす。すると、タンク内の天然ガスが液体になり、体積が600分の1にまで減る。その後、余ったスペースにLNGを積み込む作業が本格化するのである。

ただし、タンクをマイナス162度まで冷やすといっても、一気に冷やすと、タンクが急激に収縮して壊れる恐れがある。そのため、冷やして液化した天然ガスを少しずつ噴霧しながら、ゆっくり冷やしていく。

地熱発電所の仕組みは？

地熱発電所は、どんな仕組みで、地熱から電気を生み出しているのだろうか？

その仕組みは単純で、まずマグマ層に達するまで穴を掘り、パイプで水蒸気を取り出す。その水蒸気を羽のついた発電機に送り、羽根を回転させることによって、電気を起こすという仕組みだ。

その後、地下から取り出された蒸気は、電気を起こしたあと、冷却塔で水にされ、地下に戻される。そして、地下に戻された水は、再び地熱であたためられて、水蒸気として取り出され、地熱発電に利用されることになる。というわけで、地熱は半永久的に持続可能な発電源なのだ。

風力発電の風車の羽根が決まって3枚なのは？

ドライブをしていると、山の上や海辺に、巨大な風車をよく見かけるようになった。風力発電のための風車である。近年は、羽根の長さが50メートル近くもあり、発電能力が2000キロワットを超えるものも登場している。

そのような巨大風車の羽根の数は、ほとんどの場合、3枚だ。もっと多くの羽根を付けて、より多くの風を受けたほうが、発電量を増やせるように思えるが、3枚に決まっているのはなぜだろうか？

じつは、羽根の長さが50メートル近くもある大型の風車で、羽根を増やそうとすると、コストがかさむうえ、台風などの強風に耐えるだけの強度をもたせるのに大変な技術を要するのだ。

また、発電のためには、風が強くても弱くても、一定の速さで回転する必要があるのだが、羽根の枚数が多いほど、その制御が難しいという問題もある。

また、大型風車の場合、羽根の先端のスピードは時速200キロにも達している。

それだけ高速回転すれば、3枚の羽根でも、多数の羽根、あるいは幅の広い羽根で風を受けているのと同様の効果があり、風を素通りさせてはいないという。

つまり、開発、製造、運営のコストを考え、効率的に発電しようと思えば、大型風車の場合は、3枚羽根がちょうどいいのである。

ダイヤモンドは、どうやってできた？

ダイヤモンドの産出国は一部の国に限られているが、それはダイヤモンドがキンバリー岩を産出する場所にしか存在しないからである。

キンバリー岩は、カンラン石と雲母を主成分とする火成岩。カリウムやアルミニウムを豊富に含んだマグマが、マントルから時速数十キロという猛スピードで上昇、地殻を通過する際、一気に冷やされることでできたと考えられている。そのキンバリー岩層の一部から、ダイヤモンドがとれるのである。

キンバリー岩は、先カンブリア時代の世界的な造山運動によってできたものなので、ダイヤモンドを産出するのは、きわめて古い地層が安定的に保たれてきた場所に限られる。

恐竜の標本作りで、骨が足りないときはどうする？

発掘現場で、恐竜の化石が一頭分まるまる見つかることは、まずない。では、恐竜の骨格標本を作るとき、足りない骨をどうしているのだろうか？

足りない骨は、過去の発掘例や近縁種の骨格を参考に推定して、樹脂で補っている。たとえば、トリケラトプスなら、過去に発掘例が多いので、見つかった骨が一部だけでも、足りない部分は人工的に補えば、全体骨格を復元することが可能だ。

一方、発掘例が少ない恐竜の場合は、全体像を把握することができず、全体標本を作れないこともある。

ワープ航法は、なぜ不可能と結論づけられた？

「いま、いちばんほしいものは何ですか？」と尋ねられて、アニメ「ドラえもん」の「どこでもドア」をあげる人もいるだろう。目の前に現れたドアを開くと、行きたいところへ行けるという超便利なドアだが、そのような超高速な移動法を「ワープ航法」という。

ＳＦによく登場し、日本ではアニメ「宇宙戦艦ヤマト」によって広く知られるようになった。

そのワープ航法は、宇宙空間のあるA点からB点へ移動する際、宇宙の外へ飛び出して近道をするという移動法である。

原理は、紙の上の2点をその紙を折り曲げることによって近づけると考えればわかりやすい。

紙という平面内では遠い場所でも、紙（つまり宇宙）から飛び出せば、近道ができるという考え方である。

人類が宇宙を目指しはじめた1930年頃から、このワープ航法をめぐる研究が行われ、SF作品ではさまざまな方法が描かれてきた。


1996（平成8）年には、メキシコの物理学者アルクビエールが、「エキゾチック物質」よって時空を移動させることで可能という論文を発表して議論が沸騰したこともある。エキゾチック物質は、素粒子物理学の仮定する概念上の物質である。

以来、多数の論文が発表されたが、その翌1997（平成9）年には、「ワープは物理的に不可能」という結論に達したとされている。

アメリカのマサチューセッツ州にあるタフツ大学のフェニング博士が、ワープに必要なエネルギーは、宇宙全体にあるエネルギーの10倍の量が必要という論文を発表した。

　この理論が世界の多くの科学者に認められ、ＳＦファンには残念なことだろうが、いまのところ、宇宙空間でワープすることは不可能と結論づける研究者が多くなっている。

不知火はどうして起きる？

　九州の有明海や八代海では、沖に無数の火が並ぶ現象が見られることがあった。いわゆる不知火（しらぬい）で、その火の列には決して近づくことができず、舟で接近すると火列は遠ざかっていく。そのため、周辺の漁民たちはその火を龍神の灯火と考え、不知火の見える日は漁へ出ることをタブーとしていた。

　不知火が初めて文献に現れるのは、奈良時代に書かれた『肥前風土記』。

　紀元３００年頃、景行天皇が熊襲（くまそ）を平定して、筑紫の国に兵を進めたとき、日が暮れて真っ暗になったと思ったら、突然、火の光が見えて、そのほうへ船を進めると、無事に岸にたどりついた。

　そこで、天皇が「ここは何という村か」と尋ねると、村人は「火の国八代郡火の村です。でも、なぜ火というのか知りません」と答えたという。

最後の部分が漢文で「不知火」と書かれていたことから「しらぬい」と呼ばれ、江戸時代には「怪現象」とか「妖怪」と言われるようになった。

大正時代になると、科学的に解明しようという動きが起こり、旧制五高を中心とする研究者たちによって、不知火は蜃気楼の一種であることが確認された。

さらに、昭和に入ってから、不知火が起きる必要条件が明らかになり、海水の温度の上昇、干潮で水位が6メートルも下降して干潟(ひがた)ができる、急激な冷却放射などのさまざまな条件が重なって、出航した船の灯りが屈折して生じる現象と判明した。

ただし、現在では、干潟が埋め立てられたうえに、海水が汚染され、街の灯りで海が照らされるため、不知火を見ることはできなくなっている。

幽霊船の正体を科学的に説明すると？

北大西洋では、かつて「幽霊船を見た！」という船乗りが多数現れた。大型船が真正面から警告なしで近づいてきて、衝突を避けようと舵を切ると、その大型船はスッと消えていくという目撃談が多かった。

そもそも、北大西洋はヨーロッパとアメリカを結ぶ航路であり、浅瀬や天候不順のために沈没した大型船が少なくない。1912（明治45）年には、タイタニック号沈没事故が起きた海域でもある。とりわけ、全島が天然磁石でできたセーブル島付近で沈没する船が多く、その周辺海域は「船の墓場」と呼ばれていた。

そんな北大西洋なので、怪談話が多くなるのも不思議ではないが、真正面から無警告で接近してくる船とは、いまでは自船の姿だったことがわかっている。

北大西洋航路は水蒸気が多く、よく霧が発生する。濃霧になると、その霧がスクリーンのような働きをし、背後に太陽があるとき、自船の影がそのスクリーンに大きく映ることになる。そんな影が、まるで真正面から大型船が向かってくるように見えたのだ。

むろん、自船の影なので、警告を発しても向こうがコースを避けるはずはなく、また自船がコースを避ければ、影はスッと消えていったというわけである。

放射能温泉に安心して入浴できるのは？

日本には、ラジウム温泉やラドン温泉などの放射能温泉がある。

たとえば、鳥取県の三朝（みささ）温泉はラジウム温泉として名高いが、ラジウムといえば放射性元素である。また、ラドンは、ラジウムから生まれる放射性のガスである。そんな放射性元素を含んだ温泉に浸かると、寿命が縮まりかねないと心配する人もいるかもしれない。

けれども、ラジウム温泉やラドン温泉を危険視する必要はない。

日本のラジウム温泉、ラドン温泉に含まれるラジウムやラドンの量はごく微量なので、その放射能の悪影響を心配する必要はないのだ。

日本で放射能泉として名乗るには、ラジウム温泉なら、1リットルにつきラジウムが1億分の1グラム以上必要で、ラドン温泉ならラドン222の濃度が1リットルに74ベクレル以上必要だが、これらは、人体への害毒を考えたとき、まったく問題にならない濃度なのだ。

そのことは、ヨーロッパと比較すればよくわかる。ヨーロッパにも放射能温泉の規制値があるのだが、日本のラジウム温泉やラドン温泉の濃度は、それよりもはるかに低い。

オーストリアのバドガシュタインにあるラドン温泉は、日本のラドン温泉より高濃度のラドン222を含んでいる。それでも危険視されることはなく、むしろ療養温泉として人気を誇っている。

人間がさらに進化すると、どんな生物になる？

人類は、その誕生以来、ずいぶんと進化し、顔つきや体型も大きく変化した。日本人の場合は、江戸時代の人々と現代人ですら、背の高さや足の長さがずいぶん違う。そのような変化がさらに進むと、人類はどんな生物になるだろうか？

もちろん推論にすぎないが、よく言われるのは、昔のアニメや漫画に出てくる頭でっかちの宇宙人のような姿になるという見通しだ。逆三角形の顔で、目は大きく、顎は尖っている。手足は、か細いという姿である。

それは、人類がこれから築くであろう文明をイメージし、そこから想像した姿といえる。よほどの資源不足に陥らないかぎり、機械化はより進展すると思われる。肉体労働量はどんどん減り、頭脳労働が増えてくる。必要なのは頭ばかりで、肉体の他の部位はいよいよ使わなくなる。そこから頭でっかちで、か細い手足というイメージが浮かび上がるのだ。

その頭部のなかでも酷使する部位は、目である。いまでもデスクワークにはパソコンが不可欠だが、今後もパソコンの類の比重はさらに増していくと考えられる。加えて、私生活にはスマホやテレビゲームが欠かせなくなっているが、将来はもっと目を使った遊びが増えてくると思われる。目はいま以上に酷使されることになり、そのため目の大きな顔になると推論できるのだ。

逆三角形の頭で顎が尖ってしまうのは、食事の変化予測からである。すでにいま、あまり噛まなくてもいい柔らかい食事が世界的に好まれるようになっている。肉にしろ、柔らかい肉になるように工夫が施されている。その流れは将来も続くと思われ、今後人はますます噛まなくなる。そのため、顎の筋肉が発達せず、顎は細く尖っていくとみられるのだ。

顎が細くなれば、歯の生えるスペースが狭くなり、歯並びが悪くなる可能性もある。また顎の小ささから、舌ったらずなしゃべり方をするようになるとも予測できる。

2

家電、日用品、乗り物…「モノ」の意外な科学とは？

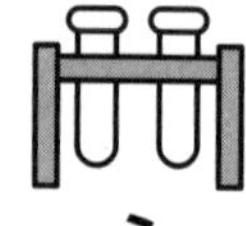

永久磁石は本当に〝永久〟にもつのか？

電車やハイブリッドカー、ハードディスクドライブなどに利用されているネオジム磁石は「永久磁石」と呼ばれることもあるが、現実には磁力が永久にもつわけではない。年間０・１～０・22％程度ではあるが、磁力は弱くなっていく。

たとえば、ネオジム磁石は、空気に触れるうちにサビはじめ、微小磁石の列が乱れやすくなる。永久磁石は、無数の微小磁石を整列させたものといえ、その列が乱れると、磁力が落ちていくのだ。

また、永久磁石は、高温にさらされたときも、微小磁石の整列が乱れて磁力が弱くなる。

それでも、フェライト磁石などに比べると、磁力の低下がきわめてゆるやかなので、「永久磁石」と呼ばれるのだ。

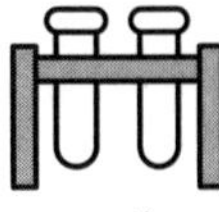

ゴルフボールの表面にくぼみがある理由は？

ゴルフボールの表面には、多数のくぼみがついている。それらのくぼみは「ディンプル」と呼ばれ、ボールを遠くまで飛ばすためにつけられたものだ。表面の滑らかなボールと、ディンプル付きボールを同じ条件で打つと、滑らかなボールは、ディンプル付きの3分の2くらいしか飛ばないのだ。

ディンプル付きの飛距離が伸びるのは、空気抵抗が弱くなるから。表面が滑らかだと、飛んで行くとき、ボール後方に空気の渦ができる。すると、ボール後方の圧力が下がり、前方からの空気抵抗が相対的に大きくなる。そのため、飛距離が伸びないのだ。

一方、ディンプル付きは、後方で渦ができにくく、後方の圧力があまり下がらない。その分、前方の空気抵抗に対抗する力が大きくなるのだ。

また、ディンプルのあるボールのほうが、回転しやすく、揚力が大きくなるという効果もある。

切れ目がなくてもどこからでも切れる袋の謎とは?

カップ麺などについている調味料の袋など、どこからでも簡単に切れる袋が増えている。ひと頃まではどこかに切れ目がついていたものだが、いまではその切れ目さえなく、どこからでも簡単に切れるのだから、じつに便利だ。

これは「マジックカット」と呼ばれる旭化成パックスが開発した技術である。切れ目もないのに切れるのは、肉眼ではわからないほどの小さな穴が連なって開いているから。手で力を加えると、その小さな穴と穴の間に力がかかり、次から次へと裂けていくのだ。

マジックカット開発のきっかけとなったのは、同社の前身・旭化成ポリフレックスの専務が新幹線のなかでおつまみを買ったときのこと。専務は、おつまみの袋の切れ目を見つけられず、おつまみを食べるのをあきらめるはめになった。その経験から、どこからでも切れる袋の開発を思い立ったのだ。

当初は、破れやすくなる薬品を袋に塗るという案だったが、薬品を使う方法は食品用の袋には適さない。端に多くの切れ込みを入れるという案もあったが、強度不足に陥る危険がある。そんな試行錯誤から、マジックカットが開発されたのだ。

芳香剤入り消臭剤が〝芳香〟まで消臭しないのは？

芳香剤入りの消臭剤は、芳香を発しながら、悪臭を消すことができる。なぜ、そうした二律背反のことが可能で、芳香まで消してしまわないのだろうか？

その理由は、芳香剤として使われているリモネンやテルペン類にある。リモネンはオレンジの皮などに由来する精油、テルペン類は植物の香気成分の精油で、ともに消臭剤によって香りを失うことはないのだ。

そもそも、消臭剤には2つのタイプがあり、ひとつは活性炭を利用するもの。活性炭には小さな穴がたくさん開いていて、悪臭の原因となる硫黄化合物の分子などを穴の中に閉じ込める。ところが、リモネンやテルペン類は活性炭に吸着されにくいので、芳香が保たれるのだ。

消臭剤のもうひとつのタイプは、悪臭の原因になる物質と化学反応を起こす物質を使うもの。リモネンやテルペン類は、そうした物質とも反応しにくいため、香りを放ちつづけることができるというわけ。

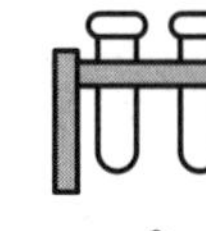

ヘルスメーターは、北海道用と沖縄用で〝別物〟？

日本国内で販売されているヘルスメーターには、地域別に3つのタイプがある。北海道型、沖縄型と中間型である。日本列島の南北では、重力にわずかな違いがあるため、作り分けられている。おおむね、本州で体重60キロの人は、中間地域用のヘルスメーターを運んで計測すると、北海道では59・95キロ、沖縄では60・05キロになるのだ。

地域によって重力が違うのは、地球の自転による遠心力が働くため。この遠心力は、赤道に近づくほど大きくなるので、同じ重量の人でも、赤道に近い地域で量ると、高緯度の地域で量るよりも重い数字が出てしまうのだ。

ハンドクリームに「尿素」が入っているのは？

ハンドクリームの成分表示をみると、「尿素配合」と印刷されていることに気づく。「尿素」は、哺乳類の尿の中にも含まれている窒素化合物のこと。じつは、尿素は、乾燥肌の手入れにピッタリの性質をもつ。肌の水分保持量を増やし、角質化して硬くなった皮膚をやわらかくする効果をもつのだ。

なお、ハンドクリームなどに使われている尿素は、哺乳類の尿から取り出されているわけではなく、アンモニアと二酸化炭素から、化学的に合成されている。

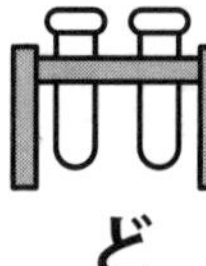

どうしてコンタクトレンズはくもらない？

眼鏡は湯気ですぐにくもってしまうが、コンタクトレンズは風呂の中でもくもらない。

なぜだろうか？

眼鏡のくもりの原因は、温度差による結露。レンズが風呂やラーメンの湯気など、空気と温度差があるものに触れると、レンズ表面に結露が生じ、くもってしまうのだ。

一方、コンタクトレンズは、目の角膜に直接ふれているため、体温によってたえず温められ、寒い日でも冷たくなることはない。また、ラーメンの湯気などがコンタクトレンズにふれても、コンタクトレンズ自体、すでに涙で濡れているので、その点でも問題は生じない。

もし、コンタクトレンズにわずかな結露が生じても、涙ですぐに洗い流されるので、人間が「くもった」と感じるほどにまで、くもることはないのだ。

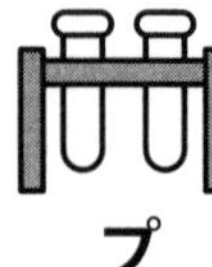

プラモデルの部品が連なっているのは？

プラモデルの部品は、プラスチック枠の中に、木の枝のような形でぶらさがっているので、プラモを作るときは、まずは四角い枠から部品をはずすことから作業を始めなければならない。

プラモの部品が木の枝のような形でぶらさがっているのは、部品を製造する際に、2枚1組の金型を使うためだ。

プラモデルの設計が決まると、金型の中に部品をどう並べるかがまず考えられる。配置が決まり、鯛焼き器のような2枚組みの金型ができると、そこに溶かしたプラスチックを流し込む。その際、金型の中の木の枝のような部分が、プラスチックの流れる通り道になる。

そして、完成後は、木の枝のような部分は、小さな部品がバラバラにならないように、結びつける役割も果たしているというわけだ。

シャープペンシルの芯はどうやって作る?

シャープペンシルの芯の原料は、鉛筆の芯と同様に「黒鉛」。それをプラスチック樹脂と練り合わせてから、芯の形に加工し、焼き物のように焼きあげる。焼くことでプラスチック樹脂が炭化し、その炭化物で黒鉛を固め、強度を増すことができるのだ。

ただし、「焼く」といっても、空気中で加熱すると、すべて燃え尽きてしまうので、アルゴンやヘリウムなどの不活性ガスの中で、電気炉を使って熱していく。

そうして芯を熱すると、一部が気化し、気体となって抜けた部分が細かな穴になって残る。

その後、芯を油につけると、その穴に油が入って、それがなめらかな書き味をもたらすというわけだ。

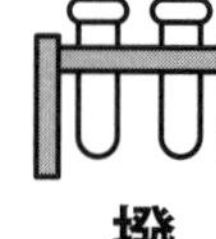

撥水スプレーを使うと、革が水滴をはじくのは？

雨の日、革靴に撥水スプレーを吹きかけておくと、革に水がしみ込まなくなる。

当然ながら、撥水スプレーには、水をはじく成分が含まれている。その成分の多くは、フッ素樹脂をはじめとするフッ素化合物か、シリコン化合物だ。

スプレーを吹きかけると、それらの微粒子が革などの表面を覆う。フッ素化合物などは、水と混ざりにくい性質「疎水性」が高いので、水滴を弾きとばす。水は、革の内部にまで浸透することなく、周辺に流れ落ちてしまうのだ。

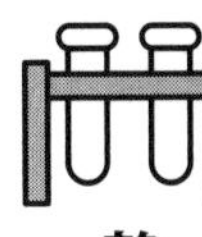

静電気防止スプレーの中身は？

静電気は、物体の表面にたまる電気のことで、帯電した物体に触れたり、摩擦することによって生じる。

たとえば、スーツやセーターが何かとこすれると帯電し、その電気が一定量以上たまったときに、バチッとくる静電気現象が起きやすくなる。

静電気防止スプレーは、そうした帯電状態を解消するもの。スプレー缶の中には界面活性剤が入っていて、静電気現象の起きているところへ吹きかけると、界面活性剤が空気中の水蒸気を吸着する。すると、その水蒸気が空気中に発散されるとき、静電気も一緒に空気中に出ていってしまうのだ。その結果、帯電状態が解消されて、バチッとはこなくなるというわけ。

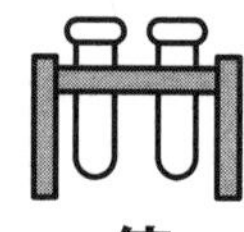

使い捨てカイロをもむと、なぜ発熱する？

使い捨てカイロは、手でもむと発熱するが、その仕組みはひじょうに簡単だ。

カイロの中には鉄粉が入っていて、その鉄粉は空気にふれて酸化すると、水酸化第2鉄になる。その化学反応が起きるとき、熱が生じることによって、カイロは温かくなるのだ。

ただ、鉄を酸化させるといっても、普通はすぐには酸化せず、熱を発しない。そこで、酸化現象を速めるため、使い捨てカイロの中には触媒が入っている。

そのひとつは食塩水を含む保水剤で、食塩水が酸化を速める一方、保水剤が水分を吸収していく。

また、酸素をたっぷりためこんだ活性炭も入っている。酸素が多量にあれば、その分、酸化速度が速くなるからだ。

紙コップがアルコール類に弱いのは？

紙コップの底に隙間があれば、むろん中身の液体が漏れ出してしまう。液体は意外に重い物質なので、底面をしっかりくっつけ、漏れを防ぐには、相当の技術が必要になる。しかも、紙コップは使い捨て品であるから、コストはかけられない。

という条件を克服した技術が、ポリエチレンを塗布した紙を使い、胴体部分と底面の端を一緒に折り込んだうえで、圧着するという技術。

まず、素材とする紙には、ポリエチレンを薄く塗った紙を使う。その紙を胴体部分と底の形にそれぞれ裁断し、底面用は周囲を折り曲げて、金型を使い、胴体部分と圧着する。そのとき、紙にあらかじめ塗布してあるポリエチレンが接着剤代わりになるというわけだ。

ただし、紙コップは、アルコール度数の高い酒を苦手とする。アルコールが界面活性剤のような働きをして、時間が経つとにじみ出ることもある。

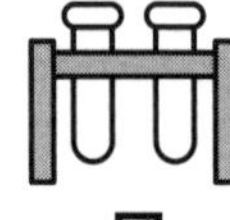

風船はふくらませるときが大変なのは？

ゴム風船を息でふくらませるとき、最初は強く息を吹き入れても、なかなかふくらまないもの。ところが、すこし大きくなると、さほど強く息を吹き入れなくても、風船は大きくふくらんでいく。なぜだろうか？

物理学的にいうと、風船は、ゴム表面への「過剰圧力」が加わることによって、ふくらんでいく。この過剰圧力は、球体の半径が小さいときほど、大きくしなければならない。

そのため、風船がしぼんでいるときは、半径が小さいので、強い過剰圧力、つまりは強い息の力を必要とするというわけだ。

一方、風船がある程度ふくらんだあとは、半径が大きくなっているので、過剰圧力は小さくてもよく、普通に息を吹き込むだけで、風船はふくらんでいくというわけ。

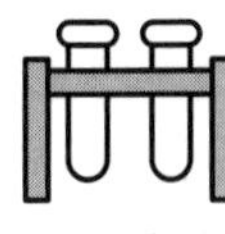

フリスビーが、回転させないと飛ばないのは？

フリスビーを飛ばすコツは、よく回転させることにある。回転数が足りないと、縦揺れを起こしてすぐに地面に落ちたり、思う方向とは別方向に曲がったりしてしまう。

モノをまっすぐ飛ばすには、スキーのジャンプ競技のように〝空中姿勢〟を保つことが必要になる。フリスビーの場合は、地面に対して平行か、少し上向きの角度を保つのがベストで、その角度を維持するには、よく回転させなければならない。回転が速いほど、適正な角度が保たれ、狙い通りの方向に遠くまで飛ばすことができる。

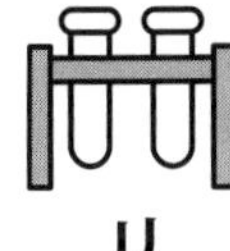

リンスインシャンプーの目のつけどころとは？

リンスインシャンプーは、シャンプーとリンスを同時にできる便利なグッズ。その登場以前は、まずシャンプーで髪の汚れや油を落としてから、リンスで髪に油分を与え、櫛どおりをよくしたり、髪にツヤを与えていたものだ。

でも、なぜシャンプーとリンスを同時にしても、シャンプーの成分がリンスの油分まで洗い落としてしまわないのだろうか？

リンスインシャンプーの最大の工夫は、イオンの操作にある。シャンプーの成分中、汚れや油を落とす界面活性剤は陰イオンである。一方、リンスの主成分は陽イオン。先にシャンプーしたのちにリンスをすると、髪に陰イオンが付着しているため、陽イオンのリンスがくっつきやすくなる。ただ最初から、シャンプーとリンスを混ぜると、陽イオンと陰イオンが結合して沈殿し、シャンプーとしてもリンスとしても役に立たなくなってしまう。そこで、陽イオンと陰イオンが近づかないように工夫を施したのが、リンスインシャンプーなのだ。

その代表が、界面活性剤のイオンを陰陽両性タイプにしたものだ。つまり、ある状況では陽イオン、ある状況では陰イオンに変わる界面活性剤を使っているのだ。

まず、シャンプーとして汚れや油を落とすときには、陽イオンの状態になっている。それなら、同じ陽イオンであるリンスは反発し、両者が結合することはない。その後、髪の汚れを落としたころ、陽イオンから陰イオンに変化する。陽イオンのリンス成分はそれに引き寄せられて、髪に付着するというわけだ。

化学ぞうきんがほこりを吸い取る仕組みは？

化学ぞうきんを使うと、水なしで汚れを拭き取ることができる。なぜだろうか？

その理由は、化学ぞうきんに含まれている油と界面活性剤にある。汚れは、水よりも油にひっつきやすいのだが、油にはぞうきんにしみこみにくいという難点がある。そこで、油をぞうきんにしみ込ませるため、界面活性剤が利用されているのだ。

界面活性剤は、固体、液体、気体の界面の状態を変化させて、本来は混じりにくいものを混じりやすくする。本来は混じり合わない水と油を混じり合わせ、乳液状にすることもできる。化学ぞうきんは、そうした乳液を布にしみ込ませたものなのだ。

だから、化学ぞうきんの水洗いはタブー。界面活性剤と油分が抜け落ちて、ただの布になってしまう。

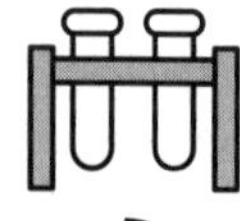

うどんがシュレッダー発明のヒントになった理由とは？

シュレッダーが日本で誕生したのは1960年のこと。開発したのは明光商会の創業者・高木禮二氏である。高木氏がシュレッダーのヒントにしたのは、立ち食いそば店のうどんだった。

当時、高木氏は、複写機や複写機用の現像液のセールスマンとして、さまざまな企業を回るうち、あることに気づいた。どこの会社も、書類を積み上げたままで、情報の機密管理ができていない。そこで彼は、紙を破砕することによって、機密を守る方法はないかと考えはじめたのだ。

当初は、紙を冷凍化したのちに破砕するといった案を考えていたが、現実的でない。アイデアがまとまらないなか、昼時に立ち食いそば店に寄った。そこで、彼が見たのは、うどんの製麺機である。うどんの製麺機に小麦粉や水を入れると、うどんの麺が出てくる。それを目にして、紙もうどんのように細長く切ればいいと気づいたのだ。

それがシュレッダー開発のヒントとなり、日本初のシュレッダーが誕生する。ところが、当初はほとんど売れなかった。まだ日本の企業は、機密管理の重要性を認識していなかったのだ。

やがて、経済成長に伴い、各企業で機密の保護意識が高まっていく。焼却では燃え残りが出て、そこから情報が漏れることもありうる。そこで、重要文書を大量かつ後で読めないように破棄できるということで、シュレッダーが注目を集める。その後、細長く切った紙をさらに横からも切断するクロスカット方式が開発され、日本はもとより、世界中で売れる商品に成長したのだ。

コンピュータ誕生をめぐる意外な出来事とは？

「コンピュータ」という言葉は、意外に古くからあり、いまから200年ほど前には、すでに「算術計算を行う人」という意味で使われていた。それが「計算機」という意味で用いられるようになったのは、19世紀の終わり頃とみられている。

ここで、計算機としてのコンピュータの歴史を振り返っておくと、そのアイデアのヒントとなったのは「織機」だった。1805年、フランスのジョゼフ・マリー・ジャカールが、パンチカードを使って、織物の複雑な模様を自動的に織りだしていく織機を発明。イギリスのチャールズ・ベバッジがそれを見て、「計算機に使える」とひらめき、パンチカードをプログラムに使う計算機を構想した。

ただ、その構想は、当時の技術では実現できなかったが、約80年後、ベバッジのアイデアを受け継いだのがアメリカのハーマン・ホレリスだった。

大規模な移民の受け入れで人口が急増していたアメリカでは、1880年に実施した国勢調査の集計が、9年経ってもまだ終わっていなかった。ホレリスは、何百人という事務員が、調査表からデータを記録用紙に転写するのを見て、「カードの穴で織物の模様を規制している織機の原理を使えば、その作業を機械化できるはず」と考え、「タビュレーティング・マシン」を開発した。

そのマシンが会計や在庫管理にも使われるようになり、やがてパンチカードシステムに発展。電子計算機が開発される基礎を築くことになった。

バーコードには、そもそもどんな内容が書かれている?

いまや、スーパーやコンビニの商品をはじめ、書籍やＤＶＤ、家電にまでついているバーコード。１９４９（昭和24）年、アメリカのドレクセル大学の大学院生バーナード・シルバーとノーマン・ジョセフ・ウッドランドの２人が発明し、１９６７（昭和42）年、アメリカの食品チェーン店が、レジの行列を解消するために導入。現在では、世界中で使用されている。

そのバーコードは、「統一商品コード」と「インストアコード」の2種類に大きく分かれる。

そのうち統一商品コードは、国名や企業名、その商品が何であるかを示すもので、その下には細かな数字が並んでいる。専用スキャナーでバーコードを読みとると、あらかじめコンピュータにインプットされている価格などが、すぐにレジスターの画面に表れるようになっている。

統一商品コードの数字は、最初の2桁が国名、次の5桁が企業名、その次の5桁が商品名、そして最後の1桁は「チェックデジット」と呼ばれ、読みとった数字に誤りがないかどうかを確かめるための数字である。バーコードは、それらの数字をバーのパターンで表しているのである。

一方、「インストアコード」は、商店や団体などが任意に付けられるコードで、ポイントカードの会員証や生鮮食品などに利用されている。その商店や団体でしか通用しないので、もし他店のスキャナーで読みとると、別の意味になってしまう。

なお、書籍の裏表紙に印刷されている上下2段のバーコードは、書籍専用のコード。表している内容は出版社名コードや書名コード、価格、分類などで、統一商品コードやインストアコードとは違っている。

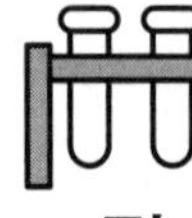

耐火金庫に「発泡コンクリート」が使われているのは？

耐火金庫は、火災にあっても、紙幣や証券を焼失から守ってくれる。耐火金庫の内部素材には発泡コンクリートが使われ、それが耐火金庫の防火力を支えている。
発泡コンクリートは、コンクリートを製造するとき、人工的に気泡を混入したもの。小さな穴がたくさん空いているので、ふつうのコンクリートよりも軽く、高層建築の軽量骨材にも用いられている素材だ。

耐火金庫では、この素材をどう使うかというと、水分を含ませるのだ。すると、耐火金庫が火に包まれたとき、まず発泡コンクリート内部の水分が蒸発しはじめ、金庫を覆っている熱を吸収して、庫内の温度上昇を抑えることができる。そのため、紙幣などが発火しにくくなるのだ。

ただ、耐火金庫にも限界がある。あまりに長く火にさらされると、水分が蒸発しきって庫内の温度を抑えきれなくなり、発火してしまう。

また、耐火金庫には寿命がある。発泡コンクリートから、少しずつ水蒸気が蒸発しているので、長く使用しているほど、発泡コンクリートから水分が抜けていく。すると、火に包まれたときの水分蒸発量が少なくなり、紙幣などの発火が早くなる。そこで、耐火金庫の寿命は約20年とされている。

レシートの文字が時間が経つと消えるのは？

レシートの文字は、時間がたつと消えることがある。その原因は、使っている紙の性質にある。レジでは感熱紙が使われていることが多いが、感熱紙は表面にごく薄い色素を含んでいる。その色素が熱で黒く変化して、数字などの文字が現れるのだ。

レジで感熱紙式が多用されていたのは、インク代がかからないため。ところが、コストが安い反面、感熱紙は、光、熱、湿度や油分に弱く、放置しておくとすぐに文字が薄れてしまう。そこで、近年は、普通紙を使ったレシートが増えている。

木材から、どうやってベニヤ板をつくる？

ベニヤ板は、1～5ミリ程度の薄板を貼り合わせて作る合板。もともとは、その一枚一枚の薄板が「ベニヤ（単板）」であり、ラワン材などが使われている。ラワン材を薄板に加工し、接着剤で貼り合わせて作るのだ。

その接着剤には、明治時代にはニカワや卵白が使われ、大正から昭和初期にかけてはカゼインという接着剤が使われていた。戦後は、熱を加えると固まる熱硬化樹脂性の接着剤が使われ、現在に至っている。

作る手順は、まずベニヤ（単板）にローラーをかけて、接着剤を塗りつける。その後、加熱すると、熱硬化性の接着剤が固まって、単板と単板がぴったりくっつくのである。

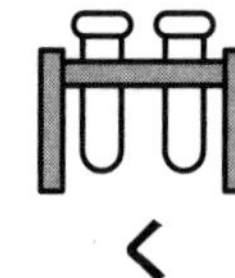

くもらない鏡のマジックとは？

通常、風呂場や洗面所の鏡は、湯気でくもってしまうものだが、最近はくもらない鏡も登場している。自動車のサイドミラーにも、くもらない鏡が採用されている。

くもりにくい鏡の秘密は、酸化チタンの薄膜を表面に貼ってあることだ。酸化チタンの薄膜が、光触媒の働きをして、水の膜を薄くするのだ。触媒とは、それ自体は化学反応を起こさないものの、周囲の物質に反応を起こさせる物質のこと。光が当たることによって触媒となる物質もあって、酸化チタンはその一つだ。

酸化チタンの光触媒として働きは、水に変性をもたらすこと。水が鏡に付着すると、ふつうは水滴になる。多数の水滴が付着すると、鏡の表面に凸凹が生まれ、鏡にはいってきた光が乱反射する。それが、鏡がくもって見える原因だ。

その鏡に酸化チタンの膜を貼ると、どうなるか？　酸化チタンには、紫外線に当たったとき、光触媒としての機能が生じる。酸化チタンに付着した水滴は薄く広がり、酸化チタンの膜になじんでいく。すると、水滴による凸凹が消え、鏡に入った光は乱反射しなくなるのだ。

酸化チタンには、光触媒としての働きがもう一つある。酸素と有機物の反応をうながすことだ。酸化チタン膜は、汚れが付着したとき、その汚れが有機物なら酸素と結びつくようにうながす。

つまり、有機物の燃焼をうながし、それによって汚れは消えてしまう。そのぶん、鏡に汚れが残りにくく、くもらなくもなるのだ。

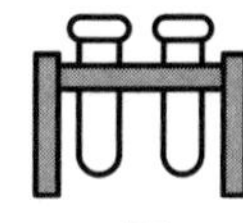

ラメの素材はいったい何？

ラメは、ドレスやジャケットなどの衣服をキラキラ光らせる素材。ラメ入りの服は舞台映えすることから、ステージ衣装として使われることが多い。

「ラメ」はもとはフランス語で、薄片を意味する。その薄片が何でできているかというと、昔は金や銀の箔だった。それらを織物にからませて、ラメ入りの衣装としたのだ。

今では金や銀が高価であるため、現在では、アルミニウム箔が使われることが増えている。

アルミニウム箔はそのままで銀色に見えるし、その上に紫外線を吸収する化合物の膜を張りつけると、金色にも見える。それで、金銀の代用としているのだ。

アルミニウム箔をナイロン糸などに付着させるときには、真空蒸着という手法が使われている。アルミニウムをいったん蒸発させたのち、生地に張りつける技術だ。

真空蒸着では、ラメと生地を入れた容器のなかの空気を抜き、真空に近い状態にもっていく。それを加熱するとアルミニウムが蒸発し、温度を下げたとき、アルミニウムが生地に薄膜となって付着するという技術だ。

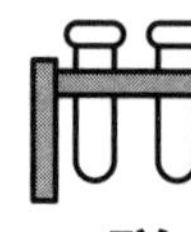

磁石は、名前のとおり「石」なのか？

磁石は、石ではなく、科学的には金属といえる。鉄などの金属が磁気を帯びたもののことであり、天然状態で磁気を帯びているものもあれば、人工的に磁気を帯びさせたものもある。

〝天然物〟の代表格は、磁鉄鉱。鉄の酸化鉱物のひとつであり、科学的には金属といえる。

ただし、見かけは石のような状態で産出するので、素人目には石にも見える。

一方、人工的に磁気を帯びさせた磁石の代表格は、フェライト磁石。フェライトとは酸化鉄のことであり、要するに鉄のサビのこと。サビに磁性をもたせたものが、フェライト磁石だ

オカリナを作るとき、石鹸を使うのは？

オカリナは、イタリア生まれの楽器。丸っこい胴体に、吹き口から息を吹き込むと、音が鳴る仕組みになっている。

母国のイタリアでは、「テラコッタ」と呼ばれる粘土を焼いて作られるが、その工程では「石鹸」が使われている。石鹸を土台にして、あの丸い形を作るのである。その工程は以下の通りである。

まず、粘土で石鹸を丸く包みこんで、オカリナのような形にする。これをいったん二つに割って、土台にした石鹸を取り出す。

石鹸を土台に使うのは、表面がつるつるしているので、粘土からはがれやすく、取り出しやすいからなのだ。

次に、胴体に吹き口を作り、二つを張り合わせて穴を開ける。その後、乾燥させてから約45分間、他の陶器と同様に高温で焼き上げれば、オカリナの完成だ。

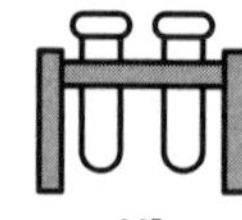

洗濯バサミがボロボロになってしまう原因は？

プラスチック製の洗濯バサミは、使っているうちにボロボロになってくる。もっとも、その変化は屋内ではなく、屋外で洗濯バサミを使った場合に起きる。なぜだろうか？

プラスチック製の洗濯バサミは、ポリプロピレンという物質でできている。ポリプロピレンは、熱可塑性の樹脂であり、耐衝撃性にすぐれている。だから、洗濯バサミにも使われているのだが、一点、耐候性には問題がある。

耐候性とは、プラスチックを屋外で使ったときの耐久性のこと。ポリプロピレンはとりわけ紫外線に弱い。

ポリプロピレンは「ポリマー」という鎖状の構造をしているのだが、紫外線を浴びると、そのポリマーが断ち切られ、強度不足に陥るのだ。長く屋外で使った洗濯バサミは、やがて劣化する運命にあるのだ。

浴槽センサーがお湯の量をはかる仕組みは？

昨今の全自動風呂は、あらかじめ水位を設定しておくと、給水がそのラインで自動的にストップ。そのような水位管理ができるのは、水位センサーを備えているからである。

水位センサーの多くには、水圧が利用されている。浴槽内の湯量が多くなるほど、浴槽内の水圧が高くなる。すると、水位センサーが水圧の変化をキャッチし、一定以上の水圧になると、スイッチを切るという仕組みが備わっているのだ。これによって、自動的に給水が止まるというわけだ。

家庭用浄水器が水をきれいにする仕組みは？

多くの浄水器は、まず水道水を活性炭にくぐらせ、そのあと中空糸膜で濾過するという2段階方式で、水を浄化している。

活性炭の表面には無数の穴が空いていて、臭いの粒子を穴の中に閉じ込める。その穴の力で、水を濾過することもできるのだ。

一方、中空糸膜は、片方が閉じたマカロニ状の膜のこと。膜の外側にはやはり無数の穴が空いていて、その膜が重なってスポンジ状になっている。その中空糸膜が吸着することによって、細菌や水道管の鉄錆や濁りなどの不純物質が除去されるのだ。

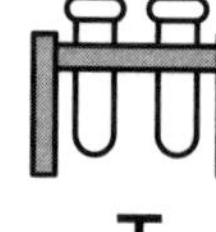

エアコンは、どうやって部屋の空気を冷やしている？

エアコンが空気を冷やす仕組みには、液体が気化するときに周囲の熱を奪う気化熱の原理が応用されている。

エアコンは、まず気体状の冷媒をコンプレッサーで圧縮し、いったん圧力と温度を上昇させる。その冷媒を室外の熱交換機に送って液化する。次に、液化した冷媒を室内の熱交換機に送りこむと、気化しながら、周囲の熱を奪っていく。こうして冷やされた空気が風として送られ、室内を冷やすのだ。

気化した冷媒は、再びコンプレッサーで圧縮され、以後、同じ動きを繰り返す。要は、冷媒が室外機と室内機の間で、液体になったり気体になったり循環して、冷気をつくり出しているというわけだ。

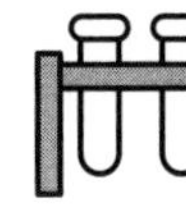

エアコンの除湿機能を簡単に言うと？

エアコンの除湿機能や除湿機は、どのようにして湿気を取り除いているのだろうか？

まず、エアコンの除湿機能は、空気を冷やすことによって、水分を集めている。空気がたくわえられる水分量は、気温が下がると少なくなり、あふれた水蒸気は水へと変化する。

その性質を利用したのが、エアコンの「ドライ」機能で、空気を冷やして湿気を水滴化したうえで外に排出している。

一方、除湿機には「再熱除湿」方式が用いられているものが多い。温度を下げて水分を追い出す原理はエアコンと同じだが、冷えた空気をそのまま排出するのではなく、ヒーターで再び温め直してから部屋に戻すのだ。そうすると、部屋の温度を下げることなく、除湿できるため、寒い時期に使うのに適している。

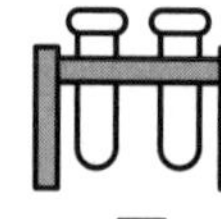

電子レンジで温めると、「冷めるのが早い」って本当？

忙しい主婦の心強い味方、電子レンジ。最近はますます性能がよくなり、冷凍肉や冷凍刺身の解凍もスムーズにできるし、かつてはやっかいだった牛乳のあたためも、失敗が少なくなってきた。

しかし、最新の電子レンジでも、解決できない問題がある。それは、電子レンジでの加熱はスピーディな反面、冷めるのも早いという点だ。

そのことがよくわかるのは、肉まんやあんまんを蒸したとき。肉まんを、蒸し器で10分間蒸した場合と、電子レンジで50秒間（肉まんにラップをかける）加熱した場合では、できあがりの温度はほぼ同じなのに、そのまま放置しておくと、電子レンジで加熱した肉まんのほうが、早く冷めてしまうのだ。

これには、電子レンジ特有の加熱法が関係している。電子レンジのスイッチをオンにすると、マイクロ波が食品中の水分子を振動させて動きまわらせる。

その摩擦熱によって温度があがり、食品が温められるわけだが、マイクロ波のエネルギーで活発になった水分子の一部は、食品から外へ飛び出すと同時に、熱を奪い去ってしまう。

一方、蒸し器の場合は、蒸気で温めるため、肉まんは加熱とともに〝加湿〟もされている。食品が温まったり冷めたりするときには、温められた水分が多いほど冷めにくく、水分が少ないほど冷めやすいという性質がある。

それで、電子レンジで調理すると、水分が飛びだしてしまうぶん、冷めるスピードが速くなるというわけだ。

もっとも、電子レンジはそのぶん、早く調理ができるし、冷める前に食べれば問題はない。また、最近は、シリコンスチーマーなどの調理器具も登場して、パサつきがちだった肉まんも、レンジでふっくら蒸すことができるようになっている。

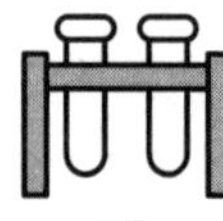

冷蔵庫の野菜室が、〝大きなタッパー〟といわれる理由は？

野菜は鮮度が命。そこで、冷蔵庫の野菜室には、さまざまな工夫が施されているが、メーカー各社がもっとも力を入れているのは「乾燥対策」だ。

野菜の重量の90〜95パーセントは水分であり、水分量が5パーセント減ると、たちまちヘタっとしおれ、ツヤもなくなってくる。さらに放っておけば、野菜はどんどん水分を放出し、やがて食べられなくなってしまう。

そこで、冷蔵庫の野菜室は、野菜から放出される水分が外に逃げないように、密封構造にされている。いわば、野菜室全体が「大きなタッパー」のようになっているのだ。

最近は「ラップ不要」をうたっているメーカーもあるが、野菜室全体がタッパーになっているのであれば、たしかにラップは不要だろう。

また、野菜は水分をたえず放出しているので、そのままでは湿度が上がってしまう。たとえば、容量100リットルの野菜室にほうれんそうを3束入れると、約5分で湿度は90パーセントになる。

むろん、湿度が高すぎても野菜はムレてしまうので、余分な水蒸気を放出する装置がついている冷蔵庫も多い。

野菜室の工夫でもう一つ重要なのは、「ガス対策」である。野菜からはエチレンガスなど、さまざまなガスが発生し、そのガスが野菜の劣化を進める。そのため、最近では、それらのガスを分解したり、ガスの発生を抑制するシステムを搭載した冷蔵庫も開発されている。

それでも、過信は禁物。野菜は数日も放っておくと、やはり傷んでくる。本当に新鮮な野菜が食べたければ、冷蔵庫に入れる前に食べてしまうのがいちばんだ。

便器はどうやってあの形にする?

便器は、茶碗や花瓶などの陶器と同じような工程で作られている。原料を成形し、釉(ゆう)薬(やく)を塗って高温で焼くという製法だ。

まず、主原料の長石（ちょうせき）などを機械で細かく砕いた後、粘土や水、水ガラス、セラミック玉などと混ぜ合わす。それを数日間熟成したものが、陶磁器でいう「土」になる。

その「土」を石膏の型に流しこみ、便器の形をした原型ができあがると、釉薬を塗ってから、1200度ほどの炉で約20時間かけて焼き上げる。

というわけで、便器は一種の〝陶器〟。乱暴に扱うと、割れてしまうことがあるので、ご注意のほど。

火災報知器はどうやって火事を発見する？

火災報知機が火事を発見する方法は、おおむね3つに分かれる。

第一は「熱感知型」で、これは室内温度の上昇を感知する方法だ。

第二の方法は「煙感知型」。感知器はレーザー光を発していて、煙が発生すると、レーザー光が煙粒子に当たって乱反射する。そこから、煙の発生を感知するのだ。

そして3つめは「炎感知型」。炎からは特有の波長や赤外線が出るので、それらを感知して火事発生を発見するという仕組みだ。

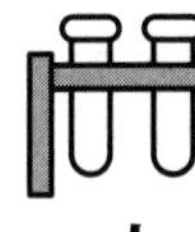

人工大理石は、どうやって作る？

大理石は、石灰岩が地球内部のマグマの圧力と熱を受けて変化したもの。大理石の産出量はそれほど多くないので、やがて人工大理石が考え出されることになった。

人工大理石は、工業的に大量生産可能な、いわば〝なんちゃって大理石〟である。とはいえ、天然大理石よりも強度にすぐれるものもあるし、天然大理石は質にばらつきがあるのに対して、人工大理石は質が均等という長所をもつ。

人工大理石は、石と樹脂、硬化剤からつくられる。まず、石を細かく砕いて、同じ大きさの粒にする。

それを骨材として、そこに樹脂、硬化剤を混合させ、型に押し込む。そこに色剤を加えて、大理石独特の模様を描く。そうして、一定の時間を経ると、人工大理石のできあがりとなる。

人工大理石に使う樹脂は、ポリエステル系かアクリル系があり、それぞれ特徴がある。ポリエステル系の人工大理石は強度にすぐれているが、経年劣化が起きやすい。とくに、光による変色が生じやすい。

一方、アクリル系人工大理石は、強度にすぐれているうえ、劣化しにくい。ただ、加工しにくいうえ、ポリエステル系の人工大理石よりも製造コストが高くつくという難点がある。

航空機用燃料と自動車のガソリンとの違いは？

航空機用の燃料には、ジェット燃料と航空ガソリンがある。

まず、ジェット機に使われているジェット燃料は、ガソリンではなく、灯油をベースとした「ケロシン」という燃料が使われている。上質の灯油に酸化防止剤などの添加剤を加えたものだ。

一方、航空ガソリンは、ピストンエンジンを装備した飛行機に使われている。「ガソリン」といっても、自動車用よりもはるかに高品質の燃料で、次のような条件を兼ね備えている。発熱量が大きい、気化性がよい、化学的安定性が高い、耐寒性が大きいことの4条件だ。

旅客機が、あえてエアコンを搭載していない理由は何？

旅客機は、エアコンとは違う方法で、温度を調整している。ジェットエンジンの仕組みを利用しているのだ。

ジェットエンジンは、燃料を燃やすために空気を必要とし、外部から吸い込んだ空気を圧縮して燃料と混ぜている。その圧縮空気の一部を機内に送り込むことで温度調整をしているのだ。

ただし、気体は圧縮すると温度が急上昇するので、圧縮空気の温度は850度にも上がっているため、そのままでは機内へ送り込めない。そこで、今度は膨張させて、温度を0度近くまで下げたうえ、それにエンジンから取り出した高温の空気を混ぜて送り込んで、機内温度を25度前後に保っている。

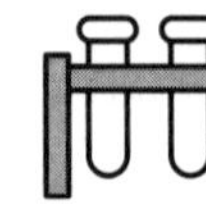

スピードの出るジェット機ほど、翼が小さいのは？

ジェット戦闘機の翼は、軽飛行機などに比べると、相対的にははるかに小さい。速く飛ぶためには、翼は小さいほうがいいのだ。

飛行機は揚力によって飛んでいるが、揚力は速度の2乗に比例するとともに、翼面積にも比例する。つまり、速く飛べ、大きな翼を持つ飛行機ほど、大きな揚力を得られる。ただし、揚力は一定の力以上は必要ないので、速く飛ぶのであれば、翼は小さくてもOKなのだ。

むしろ、速く飛ぶことによって十分な揚力を得られるのであれば、翼を小さくしたほうが、機体は軽くなり、より速く飛ぶことも、旋回性能などを向上させることもできるというわけだ。

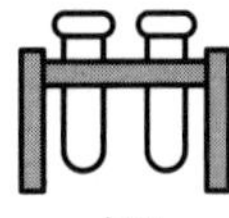

滑走路と、普通の道路はどう違う？

「一般の国道に、ジャンボ機は着陸できるか？」と問われれば、答えは「ノー」である。一般の道路の場合、砂利や土砂の上に敷かれているアスファルトの厚さは、わずか数センチ。それでは、時速250キロで着陸するジャンボ機の巨体を支えきれない。

一方、滑走路はアスファルト部分だけで、2〜3メートルもの厚みがある。建設時には、アスファルトを敷いては巨大ローラーで固めるという作業を繰り返し、大型機の離着陸による負荷にも耐えられるようにつくられている。

また、滑走路の表面には、ブレーキ性能を高めるため、着陸方向と直角に細い溝が掘られている。その溝は「グルービング」と呼ばれ、深さと幅は6ミリ、溝の間隔は32ミリとなっている。

グルービングは、雨が降った際、タイヤと路面の間の排水を助ける役割ももつ。雨の日に高速道路を猛スピードで走ると、タイヤと路面の間に水が入り込んで、ブレーキが利かなくなる「ハイドロプレーニング現象」が起きるが、旅客機の離着陸時に同様の現象が起きないようにするための防止策でもあるのだ。

加えて、水はけをよくするため、滑走路には中央部を頂点とし、両サイドに向かって下っていくゆるやかな勾配がつけられている。

さらに、着陸時には、滑走路面に数センチ程度の物体が落ちていても、飛行機の車輪が巻き上げて機体に当たったり、エンジンに吸い込んだりして、トラブルの原因になりかねない。そのため、大型機が離着陸する滑走路では、つねに異物の監視、清掃を行う必要がある。その意味でも、大型機は普通の道路上に降りることはできない。

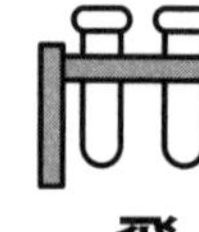

飛行機の胴体は、なぜ丸いのか？

飛行機の大半は、胴体の断面が丸くなっているもの。

それには、2つの理由があり、ひとつは、機体の強度を保つため。機体の内外では気圧が大きく違うのだが、その気圧差に耐えるためには、円形が最も適しているのだ。断面が四角いと、その角の一点に圧力が集中し、その角から機体の強度は落ちていく。断面が円形であれば、そうした弱点が生じないのだ。

また、断面が丸いほうが、空気抵抗を減らすこともできる。その分、高速飛行が可能になるというわけだ。

なお、軽飛行機は、そんなに高いところを高速では飛ばないため、機体に大きな圧力がかからない。そのため、胴体断面が四角形の機種もある。むろん、四角いほうが、座席を並べたり、荷物を積み込むのには便利なため、四角形が採用されることもあるというわけだ。

新幹線のブレーキは、どうなっている？

超高速で走る新幹線は、３種類のブレーキを備えている。

まず、「電気ブレーキ」は、高速からの時速30キロ程度まで、スピードを落とすためのブレーキ。モーターを発電機として用いることで生じる抵抗力によって速度を落とす方式で、鉄道では何十年も前から用いられている。

次に、「回生ブレーキ」は、モーターで発生した電力を架線に返し、他の電車の動力に流用するもので、300系から採用されている。

そして「空気ブレーキ」は、摩擦力を利用するブレーキで、通常、停止直前で使用されている。

レールの断面が「エ」の形をしているのは？

鉄道のレールの断面は、カタカナの「エ」のような形をしているもの。そうした形にするのは、少ない材料で強度を高めるための工夫といえる。

鉄鋼の種類のひとつに「H形鋼」がある。断面がアルファベットの「H」形をしていて、角材型と比べると、曲げる力に対する強度は約半分だが、重さは3分の1。つまり、重量に対する強さの比率では、H形鋼は角材型の1・5倍ということになる。それだけ、安くて軽くて強い素材というわけだ。

レールは、このH形鋼を改良して作られている。まず、H型鋼を横向きの「エ」形にしたうえで、車輪が当たる上面を細くしてある。一方、枕木に接する下面は、レールが安定するように幅広に作って、電車の重量を支えるような工夫が施されているのだ。

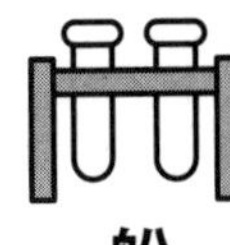

船の速度はどうやって測る？

船の速度を表す「ノット」は、1時間に1海里進む速さのこと。1海里は1852メートルなので、1ノットは時速1・852キロということになる。現在、コンテナ船の速度は、平均20～22ノットくらいだ。

現在、船の速度は、電磁ログやドップラーログという機器で測定されている。まず、電磁ログは、海水の導電性を利用して、電磁誘導によって速度を測るシステム。一方、ドップラーログは、水中音波のドップラー効果を利用する方法だ。船底の装置から超音波を発射し、海底や水中のプランクトン、気泡などにぶつかって、再び船底に戻ってきたときの音波の周波数の変化を計算し、速度やどれだけ横へ流されたかを測定する。精度が高いのは、後者のほうだ。

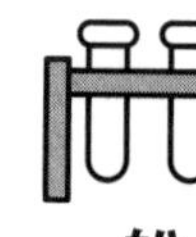

船にはハンドルがついているのか？

大型船の操船は、「ブリッジ（船橋）」と呼ばれる操舵室で行われている。操船する際、クルマでいうアクセルにあたるのは、エンジン・コントロール・パネル。これによって、エンジンの回転数を操作する。一方、ハンドルにあたるのは舵で動かす舵輪（だりん）だ。船にはブレーキがついていないので、操船はエンジン・コントロール・パネルと舵輪（ハンドル）によって行われている。

なお、昔の舵輪は、直径が1メートル以上もある大きなもので、それを回すには相当の腕力が必要だった。現在の舵輪は、直径30センチほどの車のハンドル程度のサイズ。電動油圧装置によって、巨大な船、舵であっても楽々と操作できる。

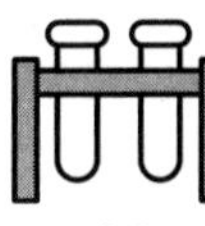

船体に穴があいても、簡単には沈まないのはなぜ？

鋼鉄製の船が水に浮くのは、船の重さと浮力が釣り合っているから。ところが、船体に穴があき、浸水すると、重量が増え、重量が浮力を上回った時点で、船は沈んでいくことになる。

そうした事態を防ぐため、船体にはさまざまな工夫が加えられてる。まず、船内は多数の水密区画に分割されている。浸水しても、最小限の区画内に食い止めるためだ。

もっとも、そうした水密区画をたくさん造ると、安全性は向上するものの、小部屋を数多く設ける分、荷物の積み下ろしに手間がかかるようになるし、壁が多くなる分、船体の重量が増えてしまう。そこで、水密区画をどれくらいの数、どのように配置するかは、設計者にとっては大きな腕の見せどころになっている。

カーナビの到着予測時刻の計算方法は?

カーナビに目的地を設定すると、画面に到着予測時刻が表示される。あの到着予想時刻は、どのように計算されているのだろうか?

メーカーによると、案内ルートを「一般道」と「有料道路」に分け、それぞれの平均速度から時間を割り出しているという。その平均速度は、一般道が時速30キロ、有料道路が時速80キロほどに設定されている。したがって、たとえば一般道を時速40キロで走ると、到着予測時刻よりも若干早くなるが、道路が渋滞していて平均20キロでしか走れないと、到着予測時刻よりも遅れることになるというわけだ。

さらに、最近のカーナビは、渋滞や事故情報を取り込んだうえ、信号の数や道幅の広さ、踏み切りの有無などを考慮して計算するように設定されているので、その予測精度はひじょうに高くなってきている。

クルマのマフラーがエンジン音を小さくする仕組みは？

クルマのマフラーは、排気ガスを排出する部位だが、そのマフラーには、もう一つ大きな役割がある。エンジン音を小さくすることだ。そもそも、マフラーの語源は「(音などを）鈍くする」という意味の「マッフル（muffle)」である。

クルマは、マフラーがなくても走れるが、その場合、かなりの騒音を巻き散らすことになる。その騒音を低減するのが、マフラーのなかでももっとも太くなっている「メインマフラー」と呼ばれる部分である。

メインマフラーのなかは、「共鳴室」と「拡張室」と呼ばれる小部屋に分かれている。まず、エンジン音（空気の波）は、細いパイプを通じて共鳴室へ導かれる。すると、パイプのなかよりもずっと多量の空気を振動させることで、そのエネルギーを失う。それによって、低音域の音が低減される。

次に、共鳴室から、細いパイプを通じて拡張室へ導かれたエンジン音は、一気に広い部屋へ出ることでエネルギーを失う。そうして、中音域の音が低減され、最後にガラス繊維などの吸音材を組み込んだパイプのなかを通ることで、高音域の音が低減される。

このマフラーのおかげで、クルマは爆音を発することなく、走行できるのだ。

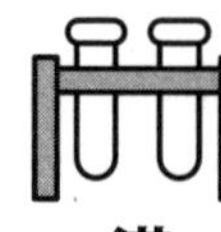

満タンになると自動ストップする給油機のカラクリは？

最近は、セルフサービスのガソリンスタンドが増えている。自分で油種と給油量を選び、給油ノズルをタンクに差し込んで自分で給油する。ガソリンが吹きこぼれると危険だが、満タンになると、給油が自動的にストップする仕組みになっている。

満タンになると自動的にストップするのは、真空室に空気を吸い込むことで増減する気圧差を利用して、ノズルの弁が閉じるような仕組みになっているからである。

まず、給油ノズルのレバーを引くと、主弁が開いてガソリンが噴出される。その際、ノズルの口先にあるパイロット孔から、外の空気を吸い込むようになっている。吸い込んだ空気は真空室に流れ、そこにたまっていく。

ガソリンがタンクにたまり、いわゆる満タン状態になると、ノズルの先のパイロット孔がガソリンでふさがれる。すると、外の空気が入ってこなくなるので、今度は真空室の空気を吸い込むようになる。

それによって、真空室の空気が減ると圧力が減り、金属の板状のダイヤフラムがバネで持ち上がる。その反動で、ノズルレバーを放さなくても、自動的に主弁が閉じる仕組みになっている。

ただし、現実には、ノズルを奥まで差し込んでいなかったり、自動ストップ装置の作動後に継ぎ足したりして、ガソリンが吹きこぼれるケースが起きている。セルフのガソリンスタンドを利用する場合は、十分な注意が必要だ。

不凍液を入れると、水が凍りにくくなるのは？

寒冷地域では、クルマ用の不凍液が欠かせない。エンジンのラジエーターに水だけを入れておくと凍ってしまい、ラジエーターが機能しなくなる。そればかりか、氷になると体積が膨らむので、ラジエーターを破損させかねない。そこで、不凍液の出番となる。不凍液をラジエーター内部に入れておくと、そう簡単には凍らない。不凍液の凝固点は、水の凝固点よりも低いからだ。

これは、凝固点降下現象によるものだ。純粋な物質の凝固は、その物質固有の一定の温度で起きるが、そこに他の物質を混ぜると、凝固点が低下する。

その典型が塩水である。水に塩を混ぜると、零度でも凍らなくなる。つまり、凝固点が低くなるのだ。

ならば、不凍液に塩水を使えばいいかというと、そうはいかない。塩分はラジエーターやエンジンを錆びさせるからだ。そこで、無害なエチレングリコールが使われている。エチレングリコールは、合成繊維やフィルムの材料としてよく使われる物質で、水によく溶ける。そこから、不凍液の材料としても注目されることになったのだ。

エチレングリコールの凝固点は、マイナス12・6度。これを水に混ぜることによって、凝固点が降下し、氷点下の世界でも凍りにくくなるのだ。

3

科学で考えると、もっと美味しい！もっと楽しい！

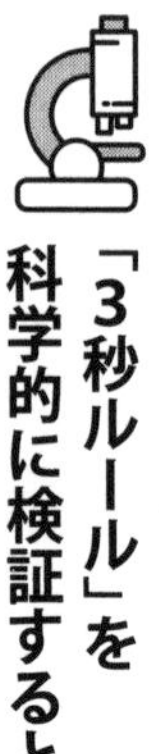

「3秒ルール」を科学的に検証すると？

食べ物を床に落としたとき、「3秒以内なら、拾って食べてもＯＫ」という俗説がある。いわゆる「3秒ルール」である。

このルールに関しては、外国でも同様のことがいわれ、アメリカなどで、さまざまな実験が行われてきた。まず2003年、アメリカの女子高校生がこの〝問題〟に取り組み、5秒以内でも菌が付着することを証明、翌年のイグノーベル賞を受けている。

近年では、2016年、アメリカの大学の研究チームが、2500回もの実験を行い、床面との接触時間が長いほど、菌のつく数が増えるという結果を報告している。

食品や床面の種類によっても菌の付き方は違うので、何秒なら安全とは一概にいえないにしても、このアメリカの実験で、床に落ちた時間が短いほど、安全であることは証明されたといっていいだろう。

甘い飲み物がなぜカロリーゼロなのか？

近頃は、カロリーゼロの飲み物が増えている。そのなかには、甘い飲料も含まれているが、なぜ、甘いのに、カロリーオフにできるのだろうか？

それは、砂糖ではなく、人工甘味料が使われているから。

今、日本で使われている人工甘味料は、おおむね以下の3種類。まず、アセスファムカリウムは砂糖の200倍の甘さがあり、体内に入れても、すべて尿として排出されるタイプ。スクラロースは砂糖の600倍の甘さで、体内に吸収されることがない物質だ。

一方、アスパルテームは、1グラム当たり4キロカロリーあり、体内に吸収されるものの、砂糖の200倍の甘さを持つため、使用量はごく少量にかぎられる。また、栄養表示基準のルールでは、飲料は100ミリリットル当たり5キロカロリー未満であれば、カロリーゼロと表示してもいいことになっているので、これもまたカロリーゼロと表示されている。

ビールの泡がなかなか消えないのは?

ビールの泡は、炭酸水やシャンパンの泡に比べると、長持ちするものだ。

それは、ビールが、炭酸水やシャンパンに比べると、多種多様な成分を含んでいるから。

ビールは、たんぱく質、炭水化物、ホップなどを含み、それらには粘度や表面張力を高める働きがある。そのため、炭酸ガスを保持する力が強くなり、なかなか泡が消えないのだ。

ちなみに、ビールは泡立つと、苦み成分が泡に吸収されて、味がまろやかになる。さらに、泡立つほどに香りもよくなる。あの泡が保たれていてこそ、ビールはよりおいしく飲めるのだ。

保存料を使わずに作れるあんパンの謎とは？

菓子パンには、唯一、保存料を使わずに作れる種類がある。「あんパン」である。同じ菓子パンでも、クリームパンやジャムパンには、ソルビン酸カリウムなどの保存料が使われている。なぜ、あんパンだけが保存料を必要としないのだろうか？

その理由は、あんにある。あんは、ゆでた小豆に大量の砂糖を混ぜたもの。その大量の砂糖が、細菌の繁殖に必要な水分を奪いとり、菌の繁殖を防ぐのだ。

また、あんをつくるときは、小豆を高温でゆっくり加熱しながら、水分をとばしてじっくり煮詰める。そうやって長く加熱するため、ほぼ完全に殺菌できるのだ。

一方、ほかの菓子パンは、砂糖を大量には入れないし、高温殺菌することもない。そのため、保存料を使わないと日持ちしないのだ。

食べ物は、アルカリ性と酸性、どこで分かれる？

健康番組などで、「梅干しはアルカリ性食品だから体によい」と言っているのを耳にしてきたもの。

しかし、梅干しは酸っぱい食べもの。それが、酸性食品でなく、アルカリ性食品とは、これいかに？　と疑問に思ったことはないだろうか。

じつは、よく使われる「アルカリ性食品」「酸性食品」という言い方は、日本だけの表現。外国にはそのような分類法はなく、ほとんど意味をもたない言葉といえる。

この表現が広まったのは、大正時代、ある大学教授の発表がきっかけだった。うさぎに大根おろしを食べさせたところ、血液が酸性に傾いて病気になったという。

当時は、ｐＨ（ペーハー）を厳密に測定する機器もなく、その数値はあやしいものだった。しかし、それが学会に発表されてから、「酸性の食品は体によくない」「アルカリ性食品は体によい」という説が定説化し、そのまま根づいてしまったというわけだ。

その後、研究が進むと、酸性とアルカリ性は、食品を燃やした後に残る「灰」を用いて判断されることになった。１００グラムの食品を焼いて、その後に残った灰を水に溶かして、酸性・アルカリ性を測ったのだ。

梅干しの場合は、燃やした後の灰には、アルカリ性のミネラルが多く含まれているので、アルカリ性食品というわけである。

ただし、体に入った食べ物が、燃やしたときと同じ変化をするわけではない。よく「肉ばかり食べていると、体が酸性に傾く」などといわれるが、これは肉ばかり食べている＝偏食していると、体によくないので注意せよ、というもののたとえ。肉を食べたからといって、体液のｐＨが傾くわけではない。

ガムの硬さは、どうやって調節している？

ガムは、ガムベース、甘味料、フレーバーからできている。そのうち、ガムベースの量を多くすると、歯磨き用のガムのような、硬いガムができあがる。

一方、風船ガムのような柔らかいガムは、ガムベースそのものに柔らかいものを使って柔らかみを出している。

また、甘味料とフレーバーも硬度と関係し、たとえば、キシリトールという甘味料を使うと、砂糖を使うのに比べて、柔らかいガムに仕上がる。

柿ピーの袋に窒素が詰められているのは？

柿の種は、次のような工程で作られている。まず、もち米をすりつぶして粉にし、水を加えて蒸し上げると、餅状の生地になる。それを成形機にかけて柿の種の形にし、オーブンで焼き、辛く味付けをすると、柿の種のできあがりだ。

この柿の種にバターピーナッツを交ぜたものが、いわゆる「柿ピー」だ。それを袋詰めにするときには、袋の中の酸素を抜き、窒素ガスを注入している。なぜ、そんなことをするのだろうか？

これは、袋の中にバターピーナッツが入っているため。バターピーナッツに含まれる油分の酸化を防ぐため、酸素と窒素を入れ換えるのだ。

おいしい水は、何をもって「おいしい」とされるのか？

アルプスの地層からこんこんと湧きでる水や、「○○の名水」として名高い水、海の底から採取する海洋深層水など、「おいしい水」が店頭に多数並んでいる。各地で採取された水がボトルに詰められて商品化されているわけである。

でも、水といえば基本的に無味無臭。い

ったい何を指して「おいしい」といえるのか、また私たちはおいしく感じるのか、不思議に思ったことはないだろうか？

一般に、水のおいしさの秘密は、水のなかに溶け込んだ物質にある。

地底から何年もかけて湧きだした天然水には、カルシウムやマグネシウムなどのミネラル分が溶けだし、甘みやまろやかさが加わっている。

また、少量の炭酸ガスが溶けこんでいる水も、飲んでおいしいと感じる水だとされる。

一方、有機物が溶け込んでいると、まずく感じるのだが、しかし、水のなかに「どのような成分が、どれくらいの量含まれていれば、おいしくなるのか」という点については、まだ詳細にはわかっていないことが多い。

むろん、「おいしい」といわれているミネラルウォーターの成分の分析は、日夜行われている。ところが、その味を再現すべく、技術を駆使して人工的に再現しても、天然水とはまったく違う味になってしまうのである。

単純に見えて、奥が深い水の世界。いまだ科学的には解明されていない部分に、おいしさの決め手となる秘密が隠されているようだ。

砂糖で熱いコーヒーが冷めてしまうのは？

コーヒーに砂糖を入れると、温度が下がってしまうもの。これは、砂糖を溶かすために「融解熱」が必要となり、その分の熱が奪われるためだ。

さらに、砂糖を溶かすため、スプーンでかき混ぜると、カップの中で対流現象が起きて、これも温度が下がる原因になる。むろん、かきまわす回数が多いほど、コーヒーは冷めやすくなる。

さらに、その際、金属製のスプーンを使うと、金属は熱伝導率が高いため、コーヒーはさらに熱を奪われやすくなることになる。ぬるいコーヒーが苦手な人は、ブラックで飲むか、せめて陶器製のスプーンを使うことをおすすめしたい。

あずきバーはなぜあんなにかたい？

夏になると、いろいろなアイスバーが出回るが、あずきバーは、なぜあれほどまでにかたいのだろうか？

その科学的な理由は、あずきバーが空気をほとんど含んでいないことによる。アイスクリームは通常、冷蔵庫で固めたものをミキサーなどで攪拌してから、再び冷凍庫で冷やしてかためる。そうして空気を含ませることで、口どけのよいアイスクリームができあがるのだ。

ところが、あずきバーは、空気をほとんど含んでいない。つまり、あずきバーは、アイスクリームというよりも、ゆであずきを冷凍させたものといえ、普通のアイスバーとは別物といってもいいかたい食べ物に仕上がるわけだ。

丸い氷が四角い氷よりも溶けにくいのは？

ショットバーで、ウイスキーの水割りを頼むと、グラスに〝丸い氷〟が入っていることがある。それには、見た目もさることながら、氷をより長持ちさせるという実用的な目的がある。

丸い氷は、四角い氷よりも、溶けるスピードが遅いのだ。球体は、同じ体積の立方体よりも、表面積が小さい。表面積が小さければ、その分、空気や水と接触する面積が小さくなって、その分、溶ける量が減り、長持ちすることになるのだ。

厚いグラスほど、熱湯で割れやすくなるのはなぜ？

グラスに熱湯を注ぐと、割れてしまうことがあるが、じつは厚いグラスのほうが、薄いグラスよりも割れやすい。厚いグラスほど、熱に弱いのだ。

もともと、ガラスは熱伝導率が悪いのに、熱によって膨張しやすいという物質。そのため、熱に直接触れた部分は大きく膨張するのだが、熱に触れていない部分までは熱が伝わらず、膨張しない。すると、一部は膨張し、他の部分は膨張していないという歪みが生まれ、ヒビがはいったり、割れたりしてしまうのだ。

また、薄いグラスは、熱湯を内側に注ぐと、薄い分、その熱が比較的外側にまで伝わりやすい。

一方、厚いグラスは、熱湯を注いで内側が熱くなっても、外側まで熱が伝わりにくい。その分、内外の膨張率の差が大きくなり、割れてしまうということになりやすいのだ。

普通の鍋の蓋に重しを置けば、圧力鍋になるか？

圧力鍋は、水蒸気などが外に逃げないように密閉した鍋。普通の鍋よりも、短時間で調理できるのが特長だ。では、普通の鍋にふたをし、その上に重しを置いて加熱すると、どうなるだろうか？

その程度のことでは、圧力鍋のような効果は得られない。圧力鍋は完全密閉構造になっていて、その状態で加熱すると、水蒸気が外に逃げないので鍋内の気圧が高くなる。水の沸点は気圧に比例して高くなるため、圧力鍋の中の水は100度になっても沸騰しない。

沸点は上昇し、2気圧の状態なら120度くらいにまで上がる。

普通の鍋で得られない高温状態を持続できるから、圧力鍋を使うと調理時間を短縮できるのだ。

普通の鍋にふたをしたくらいでは、水蒸気は隙間からどんどん逃げていく。圧力鍋のような高圧・高温状態を維持することはできない。

日本酒の値段の違いは何の違い？

日本酒には、純米酒、吟醸酒、大吟醸酒など、さまざまな種類がある。その違いがわからずに飲んでいる人も、意外に多いのではないだろうか。

日本酒を製造する際には、アルコール度数や味を調整するために、醸造用アルコールというエタノールの一種を添加することが多い。それを使わずに、米、米麹(こうじ)、水だけでつくられた酒のことを「純米酒」と呼ぶ。

その純米酒にも、純米吟醸酒、純米大吟

醸酒といった分類がある。それらは、原料となる米の精米歩合によって分けられている。

精米歩合というのは、精米した白米の玄米に対する重量の割合のことで、簡単にいえば、米の表面をどれくらい削ったかという数値だ。

たとえば、私たちがふだん食べている米は、玄米の表層部を10パーセントほど削ったもの。したがって、精米歩合は90パーセントである。

一方、酒に用いられる米の精米歩合は、「清酒の製法品質表示基準」によって定められている。米、米麹、水だけを原料としてつくられた清酒のうち、精米歩合60パーセント以下の米を使用した清酒なら「純米吟醸酒」、50パーセント以下なら「純米大吟醸酒」と表示してよい。「純米酒」にかんしては、精米歩合の上限はない。

ところで、酒を造るときに、米の表面を削るのはなぜかというと、米の外側にはたんぱく質や脂質が含まれていて、これが雑味の原因になるからである。

米は、内側の部分を使ったほうが味がよくなるのだが、たくさん削ってしまうと、できあがる酒の量が減ってしまう。だから、吟醸酒や大吟醸酒は希少価値が高くなり、値段が高くなるのである。

無洗米が洗わなくても食べられるのは？

「無洗米」とは、その名のとおり、洗わなくても炊ける米。

この無洗米は環境にやさしいといわれる。白米のとぎ汁には、リンや窒素が多く含まれるので、それを川に無造作に流すと環境破壊につながる。その点、無洗米はとぎ汁を出さないので、河川を汚すこともないというわけだ。

また、無洗米は洗わないので、米に含まれるビタミンがたっぷり残るというメリットもある。そのため、最近では、外食産業をはじめ、一般家庭でも無洗米を食べる人が増えている。

では、その無洗米、なぜ洗わなくても食べられるのだろうか？

玄米を白米に精米するときは、米の果種皮、胚芽、アリューロン層をとりのぞく。一方、無洗米は、アリューロン層のさらに内側にあるサブアリューロン層までとりのぞく。この「サブアリューロン層」を取るか取らないかで、白米か無洗米かに分けられている。

精米法は白米と同様で、精米機を使って、サブアリューロン層を削り取る。ただ、それだけでは表面にぬかが残ってしまうので、次のような方法で、残ったぬかを取り除いている。

一つが、ぬかでぬかをとりのぞく方法だ。ぬか同士はくっつきやすいという性質を利用して、湿らせたぬかで米の表面を磨くのだ。ちょうど、ガムテープをはがした跡を、ガムテープでぺたぺた取るとキレイになるのと、同様の理屈である。

そのほか、少量の水分で肌ぬかを洗い流してから乾燥させる方法や、米の表面を布きれやブラシで磨く方法もある。

なお、無洗米は、サブアリューロン層が除去されているぶん、同じ1合でも、白米よりも米粒の数は多くなる。そのため、白米と同じ水加減で炊くと固くなりやすい。無洗米を炊くときは、普通の白米を炊くときよりも、水を少し多めにするのがコツだ。

大根とにんじんの相性が悪いのは？

昔から日本には「○○と××は一緒に食べてはいけない」といわれる食べものの組み合わせがある。なかでも有名なのは、「うなぎと梅干し」、「天ぷらとスイカ」という組み合わせ。いまでも、この食べ合わせを何となく避けている人は多いのではないだろうか。

しかし、これらの食べ合わせは、医学的

に見れば何ら問題はない。とくに「うなぎと梅干し」にいたっては、梅干は胃酸の分泌をうながして、うなぎの脂分の消化を助けるので、むしろ好ましい組み合わせといえる。

根拠のない言い伝えがある一方、医学的にみて、一緒に食べないほうがよいものもある。たとえば、昔から「大根とにんじんは相性が悪い」といわれるが、たしかににんじんは大根の栄養を台無しにしてしまうのだ。

その理由は、にんじんに含まれるアスコルビナーゼという酵素にある。この酵素が、大根に含まれるビタミンCを壊してしまうのである。たとえば、大根おろしとにんじんおろしを混ぜた「紅葉(もみじ)おろし」にすると、大根のビタミンCを大幅に減らしてしまうのだ。

大根おろし単独の場合、大根のビタミンCは10分間で85パーセント、30分間では80パーセントと徐々に減ってはいくが、1時間おいても75パーセントほどは残っている。ところが、大根おろしににんじんのすりおろしを1割ほど加えるだけで、ビタミンCの量はなんと10分間で30パーセントになり、1時間で20パーセントにまで減ってしまうのだ。

ただし、にんじんのアスコルビナーゼは

酸に弱い。つまり大根、にんじんを一緒に調理するときは、酢やレモンを加えると、ビタミンCの破壊を防ぐことができる。

だから、おせち料理の定番「大根とにんじんの紅白なます」が酢で和えてあるのも、理にかなった調理法といえる。鍋物にもみじおろしを使うときも、別々にすりおろして、すだちやポン酢を加えながら合わせるといい。

トウモロコシの粒の数が必ず偶数になるカラクリは？

トウモロコシは、高さ2〜3メートルにまで背を伸ばすイネ科の植物。収穫期の夏、とれたての焼きトウモロコシにかぶりつくのは格別のおいしさだが、粒をつぶしてコトコト煮込んだポタージュスープも、甘くて美味。収穫期以外にも、缶詰めや冷凍品として販売され、サラダに炒め物にと、1年を通して活躍してくれる野菜だ。

さて、そのトウモロコシには、あまり知られていない不思議な特徴がある。それは、トウモロコシの粒の数がかならず偶数になっていることだ。

どこが偶数になるのかというと、トウモロコシを輪切りにしたとき、ぐるりと一周にならんだ粒の数。もし、手元にトウモロコシがあれば、トウモロコシの一周の粒の数を、一つひとつ数えてみてほしい。偶数になっているはずだ。

むろん、トウモロコシの大きさ（太さ）によっては、一周は18粒だったり、20粒だったり異なるのだが、その数は偶数になるのだ。そうなる理由は、トウモロコシの成長過程に秘密がある。

トウモロコシは、茎にできるメス穂が成長したもの。まだ成長していない段階で、穂を拡大すると、小穂と呼ばれる赤ちゃんトウモロコシがある。

その時点では、品種によって小穂のトウモロコシの粒は、奇数であったり偶数であったりバラバラなのだが、小穂の粒は、成長する過程で2つに分裂する。だから、最初の粒が奇数であっても、最終的にはかならず偶数になるのである。

1キロの牛肉をつくるために、どれだけの穀物が必要？

ときおり、牛丼チェーン店の値下げ競争が、ニュースになる。期間限定で価格をぐっと落とし、ライバルチェーンから客を奪おうというわけだ。むろん、利用客にとってはうれしい値下げではあるが、そうして牛肉の消費量が増えるということは、地球のどこかでより多頭数の牛を育てなければならない。そのためには、いったいどれくらいの飼料が必要なのだろうか？

1キロの肉を得るのに、家畜に食べさせる飼料の量はおおむね以下のとおり。飼育技術によっても多少は異なるが、ニワトリ1キロの肉を得るには、飼料は2〜3キロ、豚で4〜5キロ、牛では7〜8キロの飼料が必要になる。

牛肉の価格がニワトリや豚とくらべて高いのは、飼料コストがかかっているからでもあるのだ。

関東と関西で　ネギが大きく違うのは？

鍋物の具、あるいはそばやうどんの薬味として欠かせないネギ。一般家庭にも常備されていることが多い野菜の一つだが、用いられるネギの種類は、西日本と東日本では微妙に異なっている。

ネギには、土寄せして白く柔らかく育てた部分を利用する「根深（ねぶか）ネギ」と、緑色の柔らかい葉を用いる「葉ネギ」の2種類がある。

このうち、白い部分を柔らかくした「根深ネギ」は、おもに関東以北で、葉ネギは関西以西で栽培されている。

むろん、現在はどちらのネギも全国に向けて出荷されているので入手することは可能だが、やはり食文化の違いによって、消費量には大きな地域差がみられるのだ。

それにしても、世界からみれば狭い日本で、栽培されるネギに違いがみられるのはどうしてだろうか？

ネギの原産国は中国西部で、それが日本に入ってきたのは8世紀頃。中国では紀元前から栽培されていたと考えられ、根深ネギは主に中国北部で、葉ネギはおもに中国南部で栽培されていたとみられている。

それがそっくりそのままの形で、日本に輸入されることになった。というのも、根深ネギは寒さに強く、葉ネギは暑さに強いからである。

それで、関東から北の地方には、寒さに強い根深ネギが、西日本では暑さに強い葉ネギが盛んに栽培されるようになったというわけだ。

かき混ぜると、ぬか味噌がおいしくなるのは？

ぬか味噌は、乳酸発酵を利用してつくられる一種の発酵食品。

近年、発酵食品が体によいといわれるようになり、ぬか味噌もそのよさが見直されてきている。

とはいっても、おいしいぬか味噌をつくるのに、手間がかかることも事実で、初心者が手を出すには、いささか敷居が高い。

まず、ぬか床は、毎日かき混ぜなければならないし、ぬかが減ったら足したり、定期的な塩加減の調整も必要だ。

さらには、そのなかに野菜を漬けるには、ナスなど変色しやすい野菜は色どめにみょうばんを入れるなどの〝おばあちゃんの知恵〟も必要だ。

ぬか味噌が、ひんぱんにかき混ぜないとおいしくならないのは、乳酸発酵を起こすバクテリア（乳酸菌）が、酸素を必要とする「好気性バクテリア」だからだ。

乳酸菌の生育、つまり漬け物をうまく発酵させるには、酸素供給が欠かせない。そのため、毎日、ぬか床の底までひっくり返してかき混ぜ、空気を送り込まなければならないというわけだ。

一方、空気の供給が少なくなると、好気性バクテリアの増殖が抑えられ、代わりに嫌気性のバクテリアが増加して、悪臭が発生する。

なかでも、嫌な匂いを発する筆頭は、酪酸菌と呼ばれるバクテリアだ。

これは、銀杏の実が熟したときの臭気を発生させるバクテリアでもある。あの強烈なにおいを想像してもらえればわかりやすいが、ぬか床をかき混ぜずにいると、この嫌気性バクテリアが増殖して、漬け物の風味を落とす原因になるのである。

4

ワクワクするほど面白い宇宙の神秘、地球のナゾ

宇宙空間では、接着剤なしで金属がくっつくのは？

宇宙空間では、金属同士が接着剤なしでくっつくことがある。それは、氷と氷がくっついてしまう現象とよく似ている。

低温になると、物質の表面は、分子を交換しやすい状態になり、その状態で接触すると、分子と分子が結びついて、くっつきやすくなるのだ。

この現象は「低温溶接（ていおんようせつ）」と呼ばれ、氷と氷がくっつきあったり、ドライアイスが手に吸いつくようにくっつくのも、同じ原理からである。

ダイヤモンドだらけの惑星が発見された⁉

近年、NASAのスピッツァー宇宙望遠鏡によって観測された「かに座55番星e」は、

「ダイヤモンド・プラネット」の異名をもつ。つまりは、ダイヤモンドだらけの惑星なのだ。

直径は地球の約2倍、質量は約8倍の星で、3分の1以上は炭素でできていて、地殻の内部にはダイヤモンドが層をなしているという。念のためだが、ダイヤモンドは炭素の特殊な結晶である。

ただし、その採取はほぼ不可能といっていい。地球から40光年も離れていることもさることながら、地表の温度が摂氏2000度以上もあるという、星全体が溶鉱炉の中のような星なのだ。

ガスでできている星がまとまっていられるのは？

太陽をはじめ、恒星の表面温度は数千度以上もあり、物質はすべて気体状態になっている。ところが、気体とはいえ、周囲へ飛び散ってしまうことはない。太陽を含めて、恒星の気体は丸くまとまり、燃え続けている。

恒星を形成するガスが宇宙空間に広がらないのは、気体が高い圧力によって押し固められた状態になっているから。たとえば、太陽の中心気圧は、じつに2500億気圧もあるのだ。

それには、恒星の質量が桁はずれに大きいことが関係している。質量が大きいほど重力が大きくなり、恒星の構成物質であるガスは、強大な重力によって押し固められたような状態になっているのだ。

宇宙空間に滞在中、宇宙飛行士の背が伸びるのは？

宇宙飛行士が宇宙空間でしばらく滞在すると、身長が伸びて、体重が減る。身長は、平均で3センチ伸びるといい、たとえば、地上で158センチだった向井千秋さんは、かつて15日間の宇宙滞在で身長が4センチ伸びて162センチになったという。

当時、向井さんは42歳。40代の女性でも身長が伸びたのは、無重力空間で暮らすうちに、背骨を構成している椎骨と椎骨の間が伸びるためである。

一般に「背骨」と呼ばれる骨は、頸椎と胸椎、そして腰椎の3部分に分かれている。さらに、頸椎は7個、胸椎は12個、腰椎は5個の椎骨から成り立っている。そして、椎骨と椎骨の間には、ヘルニアを患うこともある「椎間板」と呼ばれる軟骨がある。

その椎間板が、地球上では、頭の重さのために圧迫されて縮んでいる。ところが、宇宙空間では、重力の影響を受けないため、その縮んでいる部分が伸びるのである。たとえば、頸椎から腰椎まで22個の椎骨の間が2ミリずつ伸びると、全体で4・2センチも伸びることになる。

ただし、短期間に伸びるため、宇宙飛行士には背中の痛みを訴える人が少なくない。向井さんも、初日に背中に痛みを感じたという。

宇宙空間では、星がまたたいて見えないのは？

宇宙空間では、星を眺めても、地上から見るように、またたいては見えない。なぜだろうか？

地球から星を見るときは、大気を通して、星の光を目にしている。そのとき、大気の揺らぎによって、星の光の屈折率が変化するため、星の光は強く見えたり、弱く見えたりする。

つまり、またたいて見えるのである。とりわけ、真冬は、上空に強風が吹いているので、星の光が大きく揺らいで見えることになる。

一方、宇宙空間には大気がないため、光の屈折率が変化することはない。星は、またたくことなく、安定した光を放ち続けることになる。

ブラックホールをひと言で簡単に説明すると？

ブラックホールといえば、宇宙の神秘を代表するような不可解な存在。物体がブラックホールにはいってしまうと、そこから抜け出せなくなる。ブラックホールの重力があまりに重いため、そこから出られなくなるのだ。光でさえ、ブラックホールからは抜け出せない。

ブラックホールは、大ざっぱにいえば、大きな恒星の終末期の姿だ。質量の大きな巨星は、超新星爆発を起こしたのち、中性子の詰まった中性子星となる。太陽の30倍以上もの質量をもつ中性子星自体が、自らの重力で縮んでいき、ブラックホール化するのである。

ブラックホールに吸い込まれた光は、もう二度と抜け出せないので、光の反射からブラックホールを見つけることはできない。ブラックホールは天体望遠鏡では見ることができない天体というわけだが、それでも見つける方法はある。連星の動きに注目するのだ。

連星とは、お互いの周囲を回っている二つ以上の星のこと。連星のなかには、どちらかがブラックホール化しているケースがある。その場合、普通の恒星から発せられているガスは、ブラックホールに吸収されている。その吸収時に熱が発生し、ブラックホールからはエックス線が発生する。

天体望遠鏡でも何も見えない空間からエックス線が発せられていれば、そこがブラックホールではないかと推定できるのだ。

冥王星が惑星ではなくなったのは？

冥王星は1930年の発見以来、太陽の9番目の惑星とされてきた。ところが、2006年の国際天文学連合の会議で、惑星から除外され、「準惑星」へと格下げされた。近年の観測や研究によって、冥王星は大きさなどが惑星の条件を満たしていないと判断されたのだ。

冥王星の直径は約2300キロだが、これは地球の約5分の1で、月の約3500キロよりも小さい。2003年には、準惑星の「エリス」よりも、直径が小さいことが判明していた。

そこで、国際天文学連合は惑星の定義を修正し、「その天体が、公転軌道上の近傍領域において圧倒的に大きい」という条件を満たすものと定義し直した。その結果、冥王星は、「圧倒的に大きい」という条件を満たせなくなり、惑星からはずされたのである。

彗星は、そもそもどこから飛んでくるのか？

１年間に数百個の小惑星が太陽系の内側を通過していき、そのうちの数十個が自動捜索プロジェクトやコメットウォッチャーなどによって発見されている。

といっても、一般のニュースで報道されるような彗星は、めったにない。ましてや、一般人でも興味を示すほどの大彗星が現れるのは10年に１度といわれるが、そもそもそれらの彗星は、宇宙のどこから飛んでくるのだろうか？

オランダの天文学者ヤン・オールトは、１９５０（昭和25）年、長周期彗星の軌道計算を行い、太陽からもっとも遠ざかる遠日点が、太陽から１万天文単位～10万天文単位のものが多いことを発見した（１天文単位は約１億５０００万キロ）。

そこでオールトは、「太陽系の最外縁部に、小天体が多数集まる領域が存在する」という仮説を提唱した。現在では、この説が広く受け入れられ、地球近くまで飛んでくる星の多くは、彗星の巣のような領域で生まれると考えられている。

その彗星の巣は、研究者の名前をとって「オールトの雲」と呼ばれている。ただし、その存在は、彗星の軌道長半径などにもとづく計算によって導き出されたもので、直接観測されたわけではないのだが、いまのところ、その仮定を否定する根拠も見つかっていない。

ちなみに、彗星の核は、岩石質や有機質のチリを含んだ氷で、太陽から遠いところを飛んでいるときは凍てついている。その彗星が太陽に近づいてくると、太陽熱によって表面が蒸発。それに伴って発生するガスやチリが、大気となって核の周りをおおう。それがガス雲となり、太陽風などによって、太陽とは反対側に「尾」が形成される。そうして、彗星は別名「ほうき星」ともいわれるように、長い尾を引いて飛ぶことになる。

銀河の名につく「M」や「NGC」って、何の略？

ウルトラマンの故郷は、「M78」星雲とされる。この星雲は実在し、「NGC2068」という記号でも表される。また、「アンドロメダ銀河」は、「M31」または「NGC

224」という記号名で知られる。このように、銀河や星雲の名には、「M」や「NGC」というアルファベットがつくが、これらは天文学者の名にちなんだ記号だ。

まず「M」は、18世紀のフランスの天文学者シャルル・メシエの頭文字。彼は、銀河や星雲の特徴と位置を整理し、1771年、『メシエ天体カタログ』を完成させた。

一方、「NGC」は、アイルランドの天文学者ヨハン・ルイス・エミル・ドライヤーがまとめたカタログ『New General Catalogue』の頭文字だ。

現在の天文学の世界では、原則的には「NGC」を使って表し、「M」を併記することが多い。

静止衛星が止まっているように見えるのは?

人工衛星には「静止衛星」と呼ばれるタイプがある。地球上から見ると、いつも同じ位置にあって静止しているように見える衛星だ。しかし、実際には、赤道上空の円軌道を公転している。

人工衛星が赤道上空の軌道に乗ったとき、水平方向に秒速約3・1キロ（時速1万1160キロ）の速さで飛ぶようにすると、遠心力と重力がちょうどつり合い、エンジンを使わなくても、約24時間周期で公転するようになる。地球の自転と同じ周期で公転することから、地上からは空の1点に静止しているように見えるのだ。

ただし、太陽や月の引力の影響もあって、静止衛星の位置は少しずつズレていく。そのため、定期的に軌道修正されている。また、燃料がなくなると、衛星としての寿命は尽きるので、〝衛星の墓場〟に捨てられる。

そのとき、衛星は地上に落ちてくるのではなく、静止軌道からさらに高度の墓場軌道へ上昇して廃棄され、静止軌道を空けることが国際ルールとされている。

低温の宇宙空間に接している地球が暖かいのは？

宇宙空間は、絶対零度に近いマイナス270度の世界である。ところが、地球は極寒（ごっかん）の宇宙空間と接しているのに、一定の温度を保っている。なぜだろうか？

地球が暖かいのは、周囲を大気に包まれているからである。

地球は、太陽光線によって暖められている一方、宇宙空間へ熱を発散している。その際、地球の大気は、太陽からの入射光は通過させるが、地球から放射される赤外線は反射する。そのため、すべての熱が宇宙空間に逃げることはなく、地球上は適温に保たれる。それが、いわゆる大気の「温室効果」だ。

ロウソクは無重力状態で燃えるか？

ロウソクは、無重力状態でも燃える。ただし、NASAの実験によると、普通の燃え方ではなく、炎の形は、ロウソクの芯を中心にして半球状になったという。また、炎の色は赤ではなく、青白く燃え上がった。

重力のある状態では、ロウソクの炎は、縦長の形にオレンジ色に燃え上がる。それは、地上では上昇気流が発生し、酸素が炎の下から供給されるからである。

しかし、無重力状態では上昇気流が起こらないため、炎は長くのびず、半球状になる。

また、気流が起こらない分、酸素供給のスピードが遅くなり、炎の温度は低下する。そのため、炎の色は青白くなるのだ。

無重力状態で、木はどう伸びる？

では、無重力状態で植物を育てると、どの方向に伸びていくのだろうか？

これも、ＮＡＳＡがスペースシャトル内で行った実験によると、レンズマメの根の伸びる方向は〝迷走状態〟になった。根は、無重力状態では進むべき方向を見失ってしまうのである。その後、重力のかわりに遠心力をかけると、根はその方向に伸びていくことがわかった。

植物は、根の根冠(こんかん)などにある平衡細胞(へいこうさいぼう)によって、重力を感じとっている。同細胞内の平衡石が沈むことで、植物は重力方向を感知するのだ。無重力状態では、平衡細胞が機能せず、根は伸びる方向を見失うことになる、というわけだ。

月はどのように誕生したのか？

月が誕生した理由をめぐっては、現在のところは「ジャイアント・インパクト（巨大衝突）」説が最有力とされている。同説によると、原始地球の時代、火星サイズの天体が地球に衝突した。両者は大爆発を起こし、周辺に大量のマントル物質が飛び散った。それらがやがて互いに引き合って集まり、塊となったのが、月と考えられている。月の石の放射性年代測定によると、月は地球と同じ約46億年前に誕生し、35億年前まては微惑星の衝突が繰り返されていたことがわかっている。

「月は、地球に近づきすぎると爆発する」って本当？

同じ満月でも、山の端近くに見える満月と、空高く上がった満月では、大きさが違うように見えるもの。それは、人間の目の錯覚による現象だ。

一方、空高く上がった満月でも、時期によって大きさが違うように見えることがある。それは、月の公転軌道が真円ではなく、楕円を描いているからである。

地球から月までの距離は、よく約38万キロといわれるが、厳密には、地球からもっとも近いときが約36万キロで、もっとも離れたときが約40万キロである。だから、月の軌道上の位置によって、地球上からの見かけの大きさは変わるのだ。

では、何らかの理由によって、月がより地球に近づいてきたとき、月と地球との関係はどうなるのだろうか？ 当然ながら、地上から月はもっと大きく見えるようになる。しかし、あまりに近づきすぎると、月は爆発する運命にあるとみられている。地球の引力によって、バラバラになってしまうのだ。

そもそも、月を構成する物質が球形を保っているのは、各物質が互いに引力をもち、引きつけ合っているからである。もちろん、月は地球の引力の影響も受けているのだが、38万キロも離れているので、その影響力は小さい。ところが、もし地球に近づいてくると、月の物質のなかには、地球の引力の影響を強く受けるものが出てくる。すると、地球に近づいた月はバラバラになり、なかでも地球の引力に強く引かれた物質が地上に降りそぐというわけである。ただし、両者が2万キロくらいに接近しないと、そうした事態は起きないので、心配顔で空を見上げるのはまさしく「杞憂」である。

月面にいる宇宙飛行士同士が会話できないのは？

ここで質問だが、「月面探検をする宇宙飛行士は、会話をかわすことができない」といわれるが、なぜかおわかりだろうか？

「簡単すぎるよ」という読者もいるだろうが、その答えは「月には空気がないから」。声に限らず、音は空気を伝わる波なので、空気が薄くなると伝わりにくくなる。月面には空気がないので、いくら声を出して伝わらない。読唇術でも使わなければ、目の前の相手が何を言っているかわからない。そのため、月面での会話は、真空でも伝わる電波や光を使って行うしかない。

なお、宇宙船のなかには空気が存在するので、ふつうに会話することができる。

月の重力が6分の1なら6倍ジャンプできるか？

月面上の重力は、地球上の6分の1しかない。ということは、宇宙飛行士が月面でジャンプすれば、理論的には、地球上の6倍の高さまで跳びあがることができる。

しかし、これはあくまで単純な理論上の話であって、現実には難しい。まず、月面に降り立つには、宇宙服を着用する必要がある。宇宙服の重さは10キロ以上もあるうえ、身軽に運動できるようにはできていない。したがって、地球上で50センチの垂直跳びができる人が、月面で理論どおりに3メートルも跳びあがるのは不可能な話だ。

月にも地震はあるのか？

月でも地震は起きている。月での地震は「月震」と呼ばれ、年間3000回は月震が起きているとみられる。

月震は、その原因によって熱月震、深発月震、浅発月震に分けられる。まず、熱月震は、昼夜の大きな温度変化によって、岩盤が割れる現象ではないかとみられている。

深発月震は、月面下400～1100キロの深いところで起きる小規模な地震で、月内部に働きかける地球の引力が影響しているとみられる。

浅発月震は、月の地殻内の温度が変化して、岩盤が膨張と収縮を繰り返すことによって発生するとみられている。

月震の特徴は、地球上の地震よりも継続時間が長いこと。場合によっては、数時間も揺れが続くことがある。

太陽の黒点が黒く見えるのは？

太陽表面には「黒点」と呼ばれる場所がある。黒点部分も光を放っているのだが、周囲よりは光が弱いため、地球からは黒く見えるので、こう呼ばれている。

黒点が発生する原因は、太陽の磁場と関係しているとみられる。太陽内部では、表面に近いところでガスが対流しており、その対流によって磁力線が生じる。その磁力線の一部が太陽表面に現れたものが黒点と考えられている。

黒点部分の温度が比較的低く、発する光が弱いのは、磁場によってガスの対流が妨げられるからとみられている。

太陽は最期にはどうなる？

最近の研究では、太陽は、約63億年後に〝瀕死〟の状態になるという。太陽は燃料となる水素を使い尽くし、周辺で水素の核融合が始まる。すると、太陽の外側は核融合反応によって現在の170倍にも膨張し、赤色巨星となる。そのとき、水星と金星は、太陽に呑み込まれて消滅する。

76億年後、太陽の中心核の温度は3億度まで上昇し、ヘリウムの燃焼が始まる。その期間が1億年程度続いたあと、中心核がヘリウムの燃えカスでいっぱいになると、水素とヘリウムの燃焼は周辺へ移動する。太陽は再び膨張し、最終的には現在の２００倍にまでなる。その後、赤色巨星から、明るさが変動する「脈動変光星」に変化。やがて白色矮星となり、数十億年かけてゆっくりと冷えていく――と予測されている。

V字谷や扇状地は、どうやってできる？

河川は、地形に対して３つの作用をおよぼす。地面を削る「浸食作用」、土や砂を運ぶ「運搬作用」、そして運搬した土砂を積もらせる「堆積作用」である。

そのうち、浸食作用でできた代表的な地形に、富山県の黒部峡谷がある。激しい流れが両岸を削り取り、断崖絶壁の谷を作り上げた。そうしてできた険しい谷は「Ｖ」字に見えることから「Ｖ字谷」と呼ばれる。

一方、川の運搬、堆積作用でできた地形が扇状地や三角州。そのうち、扇状地は、川が山あいから急に平地に出たため、流速が遅くなり、運んできた土砂が積もり、扇形の地形ができた場所。山がちな日本では、山を抜けた先の平野によく見られる地形だ。

雲が水滴の集まりなのに、宙に浮かんでいられるのは？

雲は、水滴の集まりである。

すると、地球の引力にひっぱられて、すぐに地上に落ちてきそうだが、なぜ雲はぽっかりと宙に浮かんでいられるのだろうか？

答えは、水滴とはいえ、微小な水玉だからである。雲と雨では、粒のサイズが違い、一般的な雨粒の直径は約1ミリ。これに対して、雲の粒は0・01ミリ程度。水滴は小さくなるほど、相対的な空気抵抗が大きくなり、落下速度が遅くなる。水滴が小さければ小さいほど、宙を漂いやすいというわけである。

さらに、雲の中では上昇気流が発生し、雲粒を押し上げているので、地上から見ると、雲は宙に浮いているようにみえるというわけだ。

南極と北極では、どっちが寒い？

「北極と南極では、どっちが寒い？」と聞かれると、日本人を含め、北半球で暮らす人には、「北極」と答える人が少なくない。北半球では「北のほうが寒い」ことが常識になっているからだろうが、正しくは南極である。平均気温を見ると、北極がマイナス25℃前後であるのに比べて、南極はマイナス50〜60℃にもなる。

南極のほうがはるかに寒いのは、北極近辺には陸地が存在しないが、南極周辺には南極大陸という陸地があるからである。

そもそも、海水は比熱が大きく、日光で温まりにくいかわりに冷めにくい。北極では、その冷めにくい海水が氷の下を流れているうえ、南から暖かいメキシコ湾流が流れ込んでいるため、冬になっても海水温がそれほど下がらないのだ。

それに比べて、陸地は日光によって温まりやすいが、冷めやすい。そこで、南極大陸は太陽がまったく顔を見せない冬を迎えると、どんどん気温が下がっていく。おまけに、氷まじりの吹雪（ブリザード）が吹き荒れるので、体感気温もますます下がっていく。

ちなみに、ロシアやアラスカの北極圏近くには、陸地であるがゆえに、北極点（海）よりも温度が低いところがある。たとえば、シベリアのオイミャコンという村は、北極圏の外に位置しながら、マイナス71・2℃という低温を記録したことがあり、人が住む地域としてはもっとも寒い場所とされている。

地下水はなぜきれいでおいしいのか？

地下水は、地下の砂礫層の中をゆっくり移動しながら、地中にたまった水のこと。地下水は、砂礫層を移動するうちに濾過されているので、ゴミや有害物質がとりのぞかれ、水質がいいことが多い。調査によると、地下水を水源とする水道水は、河川水を水源とする水道水よりも、有害物質や汚染物質の含有量が少ないことがわかっている。

また、地下で濾過される過程で、ミネラル分が加わるので、味もよくなる。ミネラル分をまったく含んでいない蒸留水は、味もそっけもないもの。水は、若干のミネラル分を含んでいるほうが、味がよくなるのだ。

海水の塩分は、どこからやってきた？

海水の塩分濃度は約３％で、この濃度は30億年前からほとんど変わっていない。

地球が誕生したのは約46億年前のことだが、当時はまだ海がなかった。熱い地表からは、水蒸気や火山ガスがたえず噴出し、火山ガスには塩素が含まれていた。やがて、地球が冷えはじめると、水蒸気が雨となって降り、しだいに塩素を含む水が地表にたまりはじめた。それが、海の原形である。

その海の原形には、岩石からナトリウムが少しずつ溶けこんできた。そうして、水中に塩素とナトリウムがたまり、結合して塩となって、塩辛い海が誕生したのである。

白い火山が黒い火山より危ないといわれるのは？

火山は、その噴出物によって「白い火山」と「黒い火山」に分けられる。

白い火山は、安山岩質の溶岩を噴出するので、山肌が白っぽくなる。一方、黒い火山は、玄武岩質の溶岩を噴き出し、山肌が黒っぽくなる。日本の白い火山には、恐山や岩木山、阿武火山群などがあり、黒い火山には富士山（雪が積もっていなければ、山肌は黒い）や三原山などがある。

それら2種類のうち、より危険なのは白い火山である。というのも、安山岩などの白っぽい岩は、二酸化ケイ素が多くて粘り気が強い。そのため、火山内部に圧力がたまりやすく、浅間山や桜島のように、爆発的な噴火をするからだ。たとえば、この2000年の間、日本でもっとも大規模な噴火は、白い火山である十和田湖周辺で起きている。平安時代の915年のことだ。

そもそも、十和田湖のルーツは、約3万～2万5000年前の十和田火山の大噴火と陥没によってできたと考えられている。約1万年前には、十和田カルデラの噴火によって五色岩が形成された。

この五色岩火山は、当初、黒っぽい玄武岩を噴出して山体を成長させたが、その後、白っぽい安山岩や流紋岩を噴出するようになる。その際の爆発的な噴火によって火口が拡大。さらに、5400年前の噴火で火口壁が崩壊し、第一カルデラの湖水が火口に流入して中湖（なかのうみ）ができたと考えられている。

この十和田火山が、もっとも大規模な噴火を起こしたのは915年7月のことだった。火砕流が猛スピードで四方八方を襲い、周囲20キロを焼き払った。そのときの堆積物は、いまの尾根の上にまで広く分布している。

また、火砕流の上空には、火山灰を大量に含むサーマル雲が立ち上がり、やがてそれは東北地方特有のやませによって、南西方面へ流された。当時の書物には、京都でも朝日に輝きがなく、まるで月のようだったと書かれている。

海は、なぜ青くみえる？

水自体は透明なのに、なぜ水の集合体である海は青く見えるのだろうか？

それは、太陽光の性質が関係している。太陽光のうち、赤の波長がもっとも長く、以下は順に橙、黄、緑、青、藍、紫となっている。そして、光には、波長が長いほど、大気や水に吸収されやすく、波長が短いほど、空気や水の粒子に当たって散乱しやすいという性質がある。

そのため、太陽光は、波長の長い赤や橙、黄から順に吸収され、残った青や藍色の光線が散乱して人の目に届き、海は青っぽく見えるというわけである。

また、水深が深くなると、青すら吸収されてしまい、海の色は藍色に近づいていく。

高潮はどうやって起きるのか？

「高潮」は、台風や低気圧によって、海水面が上昇する現象。おもに、次の3つの要因が重なり合って発生する。

ひとつは、台風の起こす強風。海から陸に向かって強風が吹くと、海水が岸の付近に吹き集められ、海面が上昇する。これは「吹き寄せ効果」と呼ばれる。

2つめは、気圧の低下によって海面が吸い上げられる現象。おおむね、気圧が1ヘクトパスカル（hPa）低下すると、海面は約1センチ上昇する。

3つめは、潮の干満。海面は一日に2回、満潮と干潮を繰り返しているが、満潮時に高潮が重なると、海面はさらに高くなるのだ。

そもそも、雨はどうして降るのか？

前述したように、空中に浮かぶ雲粒は、ひじょうに小さく、平均で直径0・01ミリほど。小さくて軽いから空中に浮かんでいるのだが、やがて雲粒同士が衝突したり、さらに水蒸気がくっついたりして、雲粒はしだいに大きく、重くなっていく。

それでも、雲粒に働く重力と、上昇気流による力が釣り合っていれば、雲粒は大気中に浮かんだままで雨にはならない。しかし、重力や下降気流の力のほうが大きくなると、雲粒は落下しはじめ、雨や雪となって地表に落ちてくることになる。

「大気が不安定」って、どんな状態？

夏場の天気予報では、「大気が不安定な状態」という言葉をよく耳にするもの。大気が不安定な状態とは、具体的には、湿った暖かい空気が上昇気流となり、雷雲である積乱雲ができやすい状態を意味する。地表近くの湿った空気は、太陽光で暖められると軽くなって上昇し、上空で冷やされて雲を形成する。

ところが、上空に寒気が流れこんでくると、上昇気流の温度が下がっても、周りの寒気よりは暖かいため、上昇気流は上昇を続け、さらに高いところまで達して、背の高い雲を形成することになる。そうした上昇気流は、途中で寒気と混じり合い、激しい対流を繰り返しながら上昇していく。

その結果、水滴や氷の粒は大きくなり、雲粒の大きな雲ができやすくなる。それが積乱雲であり、やがて雷を伴う激しい雨をもたらすことになる。

雨が降り出しそうなとき、雲が濃い灰色になるのは？

黒雲が広がると、やがては雨が降りはじめるもの。なぜ、雨が降りだす前、雲の色は白から濃い灰色に変わっていくのだろうか？

それは、雲は水滴が大きくなるほど、太陽の光をよく吸収するようになるからである。晴れた空に浮かんでいる雲が白く見えるのは、太陽光が微小な氷や水の粒子に当たって、大半が反射されるから。色は赤、緑、青の三原色によって構成されるが、それらがすべて反射され、目に入ってくると、その物体は白く見えるのだ。

一方、雨が降りだす直前は、雲の中の水滴が成長していて、ほとんどの波長の光を吸収してしまう。すると、雲は灰色や黒色に見えるようになるというわけだ。

天気が西から東に変わるのは？

日本列島では、九州や近畿地方で雨が降った翌日か翌々日には、関東地方で雨が降ることが多い。逆に、九州や近畿地方が晴れていると、翌日か翌々日には、関東地方が晴天に恵まれる確率が高くなる。

その原因は、日本の上空を強い偏西風が吹いていることにある。日本列島付近では、偏西風の影響で、高気圧や低気圧が西から東へ流されるのだ。そのため、九州で降っていた雨は、やがて近畿地方で降り出し、続いて関東で降ることが多くなる。こうした日本列島特有の現象は「天気東漸（とうぜん）の法則」と呼ばれている。

春と秋は、晴れがなかなか続かないのは？

春と秋は天気が変わりやすく、晴天が1週間も続くことはめったにない。これは、ともに日本列島へ張り出す高気圧の勢力が衰えることが原因だ。

まず、冬場は、オホーツク海方面から高気圧が張り出しているため、晴天が続くが、春になるとその高気圧が衰え、天気が変わりやすくなる。

一方、夏場は、太平洋高気圧が日本列島を覆うため、晴天が続くが、秋になると、高気圧の勢力が衰え、やはり天気が変わりやすくなる。

とりわけ、春と秋は、偏西風の影響を受けやすくなり、中国大陸からの移動性高気圧が時速40～50キロほどのスピードで、日本列島周辺を駆け抜けていく。その高気圧が日本列島上空にある3～4日の間は晴れるが、駆け抜けると気圧が変化し、天気が不安定になるというわけだ。

喘息に注意しなければならない秋の日とは？

近年、秋になると、喘息に苦しむ人が増えている。これには、近年の地球温暖化が関係しているとみられている。

以前は、ダニは9月になって気温が下がると死んでいき、その死骸がハウスダストになるため、9月に喘息の発作を起こす人が多かった。ところが、近頃のように、9月になっても高温の日が続くと、ダニはより活発に繁殖する。すると死骸の量も増えることになり、10月、ようやく気温が下がったところで、喘息の発作が出る人が多くなるというわけだ。

とりわけ、10月、朝夕に冷え込むようになると、人間の体は、皮膚の血管を収縮させ、熱が逃げるのを防ごうとする。すると、体表面の血流が減る分、体内部の血流が増加。気管支周辺でも血流が過剰になって、それも発作を引き起こす原因になるのだ。

晴れていても気温が下がる放射冷却は、どうして起きる？

冬場の、よく晴れた日の夜や翌朝は、「放射冷却」現象によって気温が冷え込むもの。放射冷却は、「高温の物体が周囲に電磁波を放射することで、温度が下がること」をいう。電磁波を放射する物体は温度が下がり、他から放射を受けた物体は温度が上がる。そのことは、気象現象にも当てはまるのだ。

よく晴れた日の昼間、地表面の温度は、太陽からの電磁波によって上がっている。ところが、夜になると、こんどは地表面から宇宙に向けて電磁波が放射され、地表面の温度は下がっていく。

ところが、上空に雲があると、地表面は、雲からの放射を受けるので、温度が大きく下がることはない。つまり、曇っていれば、早朝、さほど冷え込むことはないというわけだ。

ところが、晴れた日は上空に雲がないため、地表面からの放射がそのまま宇宙へ放たれてしまい、地表面の温度は下がる一方になる。すると、翌朝、底冷えすることになるのだ。

PM2・5の「2・5」って何のこと？

中国の大都市部では、例年、春が近づくと、PM2・5が大問題になる。PM2・5は、工場などが排出する汚染物質や自動車の排ガスなどが、化学反応を起こしてできる物質。「2・5」とは、直径が2・5マイクロメートル以下であることを意味する。なお、1マイクロメートルは1000分の1ミリのことだ。

PM2・5はきわめて小さい物質であるため、肺の中にまで入り込みやすく、ぜんそくが悪化するなどの呼吸器系の疾患を引き起こしやすい。日本には、おもに九州などの西日本に、中国大陸から飛来する。日本気象協会などでは、春が近づくと、風向き、雨などの気象条件から、どれくらい飛んでくるかを、予測して発表している。

気圧の単位を「ヘクトパスカル」というのは？

気圧の単位は、かつては「ミリバール」が使われていたが、1992年から「ヘクトパスカル」に変更され、現在に至っている。

ヘクトパスカルの「ヘクト」は、「100倍」という意味で、「パスカル」は圧力と応力の単位。「1パスカル」は、「1平方メートルの面積につき、1ニュートンの力が作用する圧力、または応力」と定義されている。

また、「1パスカル＝0・01ミリバール」なので、「100パスカル＝1ミリバール」となる。ここから、気圧の単位には、パスカルの100倍という意味の「ヘクトパスカル」が用いられている。

この「パスカル」という単位名は、フランスの哲学者パスカルの名に由来する。彼は物理学者でもあり、数学者でもあったのだ。ヘクトパスカルの記号である「hPa」の「P」を大文字で表す・のは、パスカル（Pascal）の頭文字をとったからである。

「クリスマス寒波」がやってくる理由は？

12月は、前半と後半で気圧配置が一変することが多い。まず12月前半は、冬型の気圧配置と大陸からの移動性高気圧が交代し合うので、冷たい北風が吹く日もあれば、小春日和の日もある。

ところが、12月後半になると、冬型の気圧配置の日が多くなり、寒さはいよいよ本番を迎える。そして、その頃にやってくる寒波は、ちょうどクリスマスの時期にあたるので、「クリスマス寒波」と呼ばれるというわけ。

冬場、強風が吹くメカニズムは？

北半球では、冬場、北極圏に冷たい空気がたまっている。それが、地球の自転によって放出され、シベリア上空を通過、寒風となって日本列島を襲ってくる。その際の風の強さは、気圧配置によって決まる。

風は、気圧の高いほうから低いほうへ向かって吹く。そのため、冬型の気圧配置で等圧線が込み合い、日本列島の南北で20ヘクトパスカル以上も気圧が違うときには、各地で激しい風が吹き荒れることになる。

日本に梅雨があるのは？

日本では6月、梅雨の時季を迎えるが、中国大陸では、梅雨は4月の末にはすでにはじまる。まず、南シナ海上の熱帯モンスーン気団が勢力を増し、北上してくる。それが中国大陸上の揚子江気団と衝突し、前線ができる。それが、初期の梅雨前線である。

5月になると、この梅雨前線が、中国の華南沿岸部に停滞し、この地域に梅雨をもたらす。さらに、この梅雨前線が北上して、日本の西日本にまでかかるようになる。

その一方、5月下旬から6月にかけては、南下するオホーツク気団と北上する小笠原気団が衝突。西日本から東日本にかけて、両者の間に梅雨前線が形成される。

とりわけ、オホーツク気団と小笠原気団の勢力が拮抗していると、梅雨前線が長く停滞することになり、7月半ばまで梅雨がつづくことになる。

台風はどうやって発生するのか？

台風は、赤道のやや北側の熱帯の海で発生する。その海域の水温が26度以上と高いうえに、水蒸気をたっぷり含んだ暖かい大気に覆われているからである。

その水蒸気は、上昇気流によって上空へ運ばれ、雲となり、積乱雲をつくる。それに地球の自転の力が加わって積乱雲の集合体は渦を巻きはじめる。それが台風のもととなる「熱帯低気圧」であり、その熱低の発達したものが台風と呼ばれることになる。

なお、同じ熱帯の海域でも、海水温がもっとも高い赤道直下では、台風は発生しない。赤道上では、地球の自転の力が働かず、風が渦を巻くことがないからだ。

台風の進路はどうやって決まる？

台風は熱帯の海で発生すると、時速15キロメートルから50キロメートルの速さで、いったんは北西へ進む。しかし、そこから先の進路は夏と秋で変わる。

夏から秋にかけては、北緯30度付近で、時計回りにカーブを描き、その後、偏西風に流されて、進路を北東に変えて進む。この時期、台風がたびたび日本にやってくるのは、日本列島がこの進路上に位置しているからだ。ところが、10月頃になると、台風は日本列島の東側を通過することが多い。

夏と秋で、台風のコースにズレが生じるのは、太平洋高気圧の影響である。台風は、太平洋高気圧の縁を回るようにカーブするため、太平洋高気圧の位置によって進むコースが変わってくるのである。

ヒートアイランド現象はなぜ起きる？

「ヒートアイランド現象」は、周囲に比べて、都市部の気温が高くなる現象。なぜ、都市部だけが熱を帯びるのだろうか？

その根本的な原因は、都市部に人口が集中していることにあるといえる。都市部では、住宅、工場、オフィス、クルマなどが膨大な熱を排出している。たとえば、東京23区の人工的な排熱量は、日射エネルギーの20％近くにも達している。その膨大な熱が、大気を暖めて気温上昇をもたらすのである。

加えて、都市部では、道という道が舗装されているので、アスファルト舗装の道路が熱をためこむ。しかも、立ち並んだ高層ビルが風の行く手をさえぎる。そうして、大都市部には、自らが生み出した熱気が停滞して、うだるような暑さが続くことになるのだ。

エルニーニョ現象って、どんな現象？

エルニーニョ現象は、南米エクアドルからペルー沿岸にかけて、海水温が数年に一度、上昇する現象のこと。

そもそも、ペルー・エクアドル沖の海域は、太平洋のなかでも、水温が低い一帯だ。その海域では、つねに西（インドネシア側）へ向かって吹く貿易風によって、海水は西へ流されている。すると、その海水を補うため、海底から冷たい水が湧き上がってくる。この冷たい海水のため、ペルー沖の水温は低く保たれているのである。

ところが、数年に一度の割合で、東西の気圧差が小さくなって貿易風が弱まり、東太平洋（ペルー側）の海面水温が下がらなくなることがある。これが、エルニーニョ現象である。

この現象が起きると、ペルーでは大雨になり、インドネシアでは雨が降らずに干ばつとなる。そして、日本では冷夏となるなど、太平洋沿岸の国々に異常気象をもたらすことになる。

フェーン現象って、どんな現象？

「フェーン」は、山を越えて吹いてくる暖かく乾燥した風のこと。その風下の地域で気温が急上昇する現象を「フェーン現象」という。なぜ、空気は山を越えると、高温で乾燥した風に変化するのだろうか？

空気（風）は、山の斜面に沿って上昇するうちに、気圧が下がり、膨張する。膨張するためにはエネルギーが必要なので、空気温は下がっていく。100メートルの上昇で、気温は0・5度ほど下がる。

こうして気温が下がると、空気中の水蒸気が凝結して雲ができ、山では雨が降る。すると、空気は水分を失って乾燥した状態になり、今度は麓へ向かって吹き降りていく。そのとき、気圧の高い方向へ降りていくため、空気は圧縮され、温度は上昇していく。しかも、斜面を下っていく空気は100メートルにつき1度程度、気温が上がるため、上昇する前と比べて気温が高くなることになるのだ。

また、フェーン現象で山から降りてくる空気は乾燥しているため、火災の原因になることがある。乾燥した突風にあおられることで、大火になりやすいのだ。

竜巻はなぜ起きる？

竜巻は、風ではなく、積乱雲からのびた空気の渦。積乱雲のまわりで、ゆっくりと回転していた空気が、強い上昇気流に巻き込まれ、回転半径が急に小さくなって空気の渦ができる。それが、竜巻のもとである。

渦を巻いた空気は、雲から地上へと向かいながら、下へ下へと引き伸ばされていく。それが、地上や水面に触れたとたん、恐ろしい竜巻となって襲ってくるのである。

なお、校庭などで風が渦を巻き、砂ぼこりが立ち上ったり、枯れ葉がくるくる舞い上がることがある。

それは、竜巻ではなく、上昇気流の一種のつむじ風である。太陽熱で地面が暖められて小さな上昇気流が発生、そこに周りの空気が吹き込むことで、つむじ風は発生する。竜巻とはまったく違うメカニズムで起きる別種の現象だ。

「温室効果」はなぜ起きる？

地球の地面付近の平均気温は、おおむね15度前後に保たれてきた。地球はどのような仕組みで、この温度をキープしているのだろうか？

地球に届く太陽エネルギーのうち、30％は雲などによって反射され、地上へ届くのは70％ほど。その70％の熱は、いったん地表へ吸収された後、赤外線となって宇宙空間へ放出される。つまり、地球は、太陽の熱エネルギーによって暖まり、その熱を宇宙へ放出することで冷えている。

ところが、宇宙へ逃げようとする熱の一部は、大気中の「温室効果ガス」に吸収され、地表に向かって再放射される。これが「温室効果」と呼ばれる現象だ。

温室効果がまったくなければ、地球表面の温度はマイナス18度になると計算されている。この温室効果のおかげもあって、地球は15度という気温を保っているのである。ただし、現在は、この温室効果が進みすぎ、平均気温が上がっていることは、ご存じのとおりである。

地震はなぜ起きる？

地震の原因のひとつは、「プレート」と呼ばれる岩盤の動きである。地球の表面は、十数枚のプレートで覆われていて、それぞれが独自の方向に動いている。その速さは、速いもので年に10センチ、遅いもので年に1センチ程度。場所によっては、岩盤同士がぶつかったり、片方がもう一方の下へもぐり込んだりしていて、その接点では、岩盤が壊れたり、ひび割れができたり、ずれたりしている。

地震は、そのようなプレートの破壊やひび割れ、ずれが一因になる。それらが起きた場所が震源であり、その衝撃が地上に伝わって地面を揺らすことになるのだ。

地震のときに伝わるP波とS波とは？

地震が起きると、最初に小さな揺れがあり、その後、ユサユサと大きく揺れるのはご存じの通り。その際最初の揺れの地震波を「P波」と呼び、後の大きな揺れの地震波を「S波」と呼ぶ。

P波は「第1波」を表す「Primary wave」の頭文字をとったもので、進行方向に対して平行に振動する波。S波は「第2波」を表す「Secondary wave」の頭文字をとったもので、進行方向に対して直角に振動する波だ。

両者は、伝わる速度が違い、P波は一般に地表近くを伝わり、その速度は毎秒5〜7キロ。一方、S波は秒速3〜4キロほどである。

緊急地震信号は、その時間差を利用して、P波を感知した後、S波とともに大きな揺れがやってくるまえに流されている。

震源は、どうやって突きとめるのか？

気象庁は、どうやって地震の震源を突き止めているのだろうか？

これにも、前述のP波とS波が利用されている。たとえば、P波の速度を秒速6キロ、S波を秒速4キロとすると、震源から30キロの場所には、P波は5秒後に到着し、S波は7・5秒後に到着することになる。そこで、地上の3〜4地点で、P波とS波の最初の到達時間をはかり、それをもとにして震源地を算出しているのだ。

なお、地震の原因となる岩盤の破壊やズレは、一か所で起きるわけではなく、通常は何十キロから何百キロにわたっての幅で起きる。そのように岩盤が壊れたエリアを「震源域」と呼び、そのうち最初に岩盤破壊が起きた地点を「震源」としている。

震源地から遠く離れた場所が強く揺れるワケは？

地震による揺れは、通常、震源から遠ざかるほどに衰えていく。ところが、まれに震源に近いところよりも離れているところのほうが大きく揺れることがある。

それを「異常震域」というが、それには多くの場合、地盤の弱さが関係している。地盤が弱い地域は、震源により近い地点よりも、揺れが激しいということもありうるのだ。

地震で液状化現象が起きるのは？

地震によって、地盤が液体のようにドロドロになることを「液状化現象」という。液状化しやすいのは、埋立地、三角州、河川跡、水田跡、砂丘地帯など、地下水位の高い砂地盤のエリアである。

埋立地や砂地質の地下でも、ふだんは砂粒同士がかみ合って地盤は安定している。ところが、地震による揺れが加わると、砂粒同士の間にすき間ができ、そこへ地下水が入り込む。すると、砂粒は水中に浮んだような状態となり、ドロドロになってしまう。

すると、建造物は、突然、地盤を失うことになる。とりわけ、重心の高い建物や重心が偏った建物は、傾いたり、倒れたりするということになるのだ。

津波が来る前に波が引くのは？

津波が襲来するまえには、海水が沖のほうへ大きく後退することがある。ただし、必ずしもそうなるわけではなく、津波の発生原因によって、海岸線は後退することもあれば、しないこともある。

まず、地震によって海底が大きく盛り上がった場合には、最初から波の山がやってくる。そのような波は「押し波」と呼ばれ、押し波で始まる津波は、直前に海水が沖合へ後退することはない。

一方、地震によって海底が大きく沈降した場合は、海水はいったん沈み込んでから、その反動で盛り上がる。この場合は、津波は「引き波」で始まり、海水が沖合へ大きく後退してから、まもなく盛り上がった津波の山が襲ってくることになる。

雷はなぜゴロゴロと鳴る？

雷は、積乱雲による放電現象であり、ゴロゴロという雷鳴は、その衝撃波が音波に変わって地上に届いたものである。

まず、水分を含んだ上昇気流が上空の冷たい大気層に達すると、氷やあられができる。雲の中でそれらが激しくぶつかり合うと、静電気が発生し、雲の上層部にはプラスの電気、下層にはマイナスの電気が蓄えられる。やがて雲の下層部から地面に向かって火花放電を引き起こす。それが、稲妻だ。

その際、稲妻の通り道にある空気は、瞬間的に2～3万度にまで温度が上昇する。そのときの衝撃波や振動によって轟音が発生し、それが雷鳴となって地上に伝わるのだ。

特集 1

世界を変えた 10 人の科学者

コペルニクス（1473〜1543）

コペルニクスは、16世紀に「地動説」を唱えた天文学者。

彼は、ポーランドで生まれ、両親が早くに亡くなったため、9歳のとき、司教をつとめる叔父にひきとられた。その後、大学に進むと、ラテン語や医学とともに、天文学も学ぶようになる。その後、イタリアに留学し、数学と天文学の知識をたくわえる。

30歳で帰国してからは、叔父の教区で聖職者や医師として働きながら、天文学の研究を独自に続けることになった。

当時は、古代ギリシアのプトレマイオスの「天動説」が信じられていた時代だったが、彼はそれに疑問をもち、太陽を中心に考えると、惑星の動きをよりうまく説明できるはずだと考えた。

そして、コペルニクスは得意の数学を駆使して、「太陽中心論」を作り上げる。それは、太陽の回りを地球などの惑星が回るという現在の常識とほぼ同じものだった。

彼は1543年に地動説の書『天体の回転について』をまとめるが、すでに病床にあり、本が届いた直後に息をひきとったと伝えられる。

彼は、地動説に行きつきながらも、後述するガリレオのようにカトリック教会から弾圧されることはなかった。それは、彼がもともとカトリックの聖職者であり、教会との論争を避けるため、死ぬ間際まで著作を発表しなかったからである。地動説の始祖は、生涯、教会とは対立せずに一生を終えたのである。

ガリレオ・ガリレイ（1564〜1642）

ガリレオは、「振り子の等時性」や「慣性の法則」などの運動法則を明らかにした物理学者。「地動説」などの天体運動の研究は、彼の業績の一部にすぎない。

ガリレオはイタリアのピサに生まれ、17歳でピサ大学の医学部に入学するが、すぐに物理を学びはじめ、同大学の講師になる。

その頃から、彼は物体の落下運動を研究し、アリストテレスの「落ちる物体の速度は、その物体の重さに比例する」という古代から信じられてきた説の誤りに気づき、「空気抵抗を無視できるなら、どんなものも同じ速さで落下する」と考えた。

そして、ピサの斜塔から、大小2つの球を同時に落とし、両者が同時に地面に着地するという実験を行ったと伝えられるが、この話は正式な記録にはなく、ガリレオの弟子が創作したエピソードとみられている。

その後、ガリレオは物体の運動に関する研究を続け、「慣性の法則」などを確立。その研究は、惑星の運動の研究へと発展していく。ガリレオは独自に望遠鏡を作り、1610年、木星のまわりを回る4つの衛星を発見するが、それは、すべての天体が地球を中心に回っているという説に反するものだった。こうしてガリレオは地動説を支持し、教会から「異端警告」を受けることになった。

それでも、ガリレオは研究を中断せず、地動説の書『天文対話』を出版。教会関係者のさらなる怒りを買って、宗教裁判にかけられ、自宅に幽閉された。ガリレオは破門の身のまま、77歳の生涯を終えた。

なお、宗教裁判で「それでも地球は動いている」とつぶやいたという逸話も、実話ではないとみられる。ただし、彼が同様の言葉を知人にもらしたということを、間接的に裏づける資料は存在する。

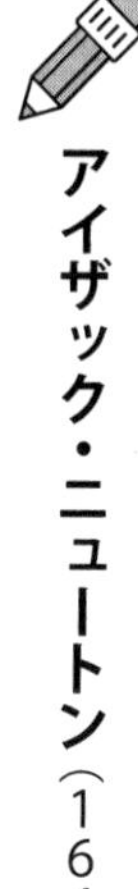

アイザック・ニュートン（1642〜1727）

ガリレオが亡くなった年に、アイザック・ニュートンは生まれた。ニュートンはケンブリッジ大学トリニティ校に入学後、すぐに当時の数学の最先端に到達し、注目を集める存在になる。

23歳で大学を卒業、研究室に残るが、ちょうどその時期、ペストが流行したため、大学は閉鎖されてしまう。そのため、ニュートンは、23歳〜25歳にかけての約1年半を、郷里で過ごすことになる。後世、この時期は「ニュートンの驚異の1年半」と呼ばれることになる。

というのは、彼はこの短期間に、いわゆる3大発見（万有引力、光の分析、微分積分法）のアイデアに到達したからである。「リンゴが落ちるのを見て、万有引力を発見した」という逸話も、この時期のものである。

ニュートンは、27歳でケンブリッジ大学の数学教授となる。しかし、光の分解について論じた論文が、当時の人々にはまるで受け入れられなかったため、以後15年間も研究成果の発表を避けるようになってしまう。

ようやく、44歳のときに『プリンキピア』を刊行。万有引力をはじめ、彼の理論を詳解したこの歴史的名著によって、ニュートンの名声は不動のものとなった。

ところが、これでニュートンの研究生活はほぼ終わりを迎える。その後のニュートンは、国会議員や造幣局の長官をつとめるなど、政治家、行政家として生涯を終えた。

チャールズ・ダーウィン（1809〜1882）

ダーウィンは、「進化論」を提唱したイギリスの生物学者。

1809年、イングランド西部で生まれ、医師だった父親の勧めで、エジンバラ大学医学部に入学するが、医者には向いていないと感じ、ケンブリッジ大学の神学部に転校する。そこで、植物学に興味をもつ。

大学を卒業すると、博物学者として英国海軍の探検船ビーグル号に乗り込み、世界一周の旅に出る。1831年に出発し、南米、南太平洋諸島、オーストラリアでさまざまな動植物を観察し、1836年に帰国。この5年にわたる航海の経験が、後に進化論を生み出すもとになった。

当時はまだ、動植物は神がお創りになったと考える人が大半を占めていた時代。しかし、ダーウィンは、「土地によって生物の姿が少しずつ異なるのは、その土地の環境に適応して、生物が変化しているから」と考え、やがて「自然淘汰」や「適者生存」という概念に到達する。

ダーウィンは、そのような「進化論」の正しさを1844年頃には確信していたものの、その発表をためらい続けた。「すべては神がお創りになった」というキリスト教の教えに反する学説を発表すれば、教会から激しい非難を受けることが目に見えていたからだ。

ようやく1858年になって、彼は『種の起源』を発表。それは自然淘汰の思想が表されているだけで、人類の進化についてはあえて言及されていないものだったが、それでも教会からは激しい非難を受けることになった。

キュリー夫人（1867〜1934）

キュリー夫人（1867〜1934）は、女性の科学者として先駆的な存在。キュリー夫人ことマリー・キュリーは、ポーランドのワルシャワで生まれ、父は教師だったが、投資に失敗し、彼女は進学できなくなった。家庭教師をして学資を貯め、23歳でパリにのソルボンヌ大学に入学する。

放射能などを研究するなか、ピエール・キュリーと出会ったのは、27歳のときのことだった。ピエールは、8歳上の物理学者で、二人は翌年結婚した。

マリーは、夫とともに「放射能」の研究を続ける。キュリー夫妻は、放射線がα線、β線、γ線の3種からできていることなどを明らかにし、1903年、二人はノーベル物理学賞を受賞する。

1906年、ピエールは馬車に轢かれて亡くなるが、マリーは研究を続け、新しい元素ラジウムを発見。そして、1911年に、今度はノーベル化学賞を受賞した。

マリー・キュリーが亡くなったのは、１９３４年、66歳のとき。長年にわたって放射能に関する実験を続けたため、被曝し、白血病におかされたのだった。

なお、マリーの長女のイレーヌも、両親の後を継いで物理学者となり、結婚相手も同じ学者だった。そして、その夫婦も１９３５年にノーベル化学賞を受賞している。つまり、キュリー夫人の家族は、一家で４人、計５つものノーベル賞を受賞しているのだ。

アルベルト・アインシュタイン（1879〜1955）

アインシュタインといえば、相対性理論で有名な20世紀を代表する物理学者。彼は１８７９年、ドイツ南部に生まれ、ミュンヘンで育つ。スイスのチューリッヒ工科大学に入学するが、大学に残ることはできず、特許庁の下級役人になった。

仕事はさほど忙しくはなかったので、彼は仕事は午前中に片づけ、午後は理論物理学に関する思索に没頭した。そして、３年後の１９０５年、重要な３つの論文を発表する。「光量子論」「ブラウン運動論」、そして「特殊相対性理論」である。この年は、後に「奇跡の年」と呼ばれることになる。

3論文のなかでも、とりわけ重要なのは「特殊相対性理論」だが、後年、彼へのノーベル物理学賞は「光量子論」に対して与えられたものだった。要するに「相対性理論」は、斬新すぎてすぐには受け入れられなかったのだ。それでも、アインシュタインは1912年には母校のチューリッヒ工科大学の教授に就任した。

さらに彼は、1914年から1915年にかけて、特殊相対性理論をさらに発展させて「一般相対性理論」を完成する。その後、アインシュタインは、世界のすべての事象をひとつの理論で説明する「統一理論」の完成に生涯をかけて挑んだが、これはついに達成できなかった。

晩年のアインシュタインはアメリカで暮らし、第二次世界大戦が勃発すると、ドイツよりも先に原爆を開発するよう、アメリカ政府に進言する。それがきっかけになって、マンハッタン計画（原爆製造計画）がスタートした。戦後は一転、核兵器の廃絶を訴えるが、1955年、大動脈瘤破裂により、76歳で亡くなった。

ジョージ・ガモフ（1904〜1968）

ガモフは、宇宙は大爆発によって生まれたとする理論、いわゆる「ビッグバン理論」を提唱した宇宙物理学者。現代の宇宙論の扉を開いた人物といえる。

彼は1904年、帝政時代のロシア（今はウクライナ）のオデッサで、高校教師の子として生まれた。レニングラード大学やケンブリッジ大学などで学んだ後、1934年、アメリカのジョージ・ワシントン大学教授に就任。1948年、「α‐β‐γ理論」を発表した。これは宇宙の核反応段階に関する理論で、後のビッグバン理論につながるものだった。

ガモフは、150億年前に、高温・高密度の物体が大爆発し、以後、膨張するにつれて、しだいに冷えていき、星ができていったという、「火の玉宇宙」という考えを提示した。ガモフの理論は、当時の学会では認められず、嘲笑され、「ビッグバン（爆発音のこと）理論」と呼ばれた。つまり、ビッグバンというのは、最初は蔑称だったのだ。しかし、1965年、ガモフの理論の証拠となる電波などが発見されると、評価は一転した。それを見届けたかのように、ガモフは１９６８年、交通事故で亡くなった。

ジェームズ・ワトソン（１９２８〜）

ジェームズ・ワトソンは、フランシス・クリックとともに、ＤＮＡの二重らせん構造を発見した分子生物学者。現在、最も刺激的な科学分野を切り開いた科学者といえる。

ワトソンは１９２８年、シカゴに生まれ、シカゴ大学に入学する。当時、遺伝子の正体がＤＮＡであることはわかっていたものの、その分子構造は不明だった。彼はそれを解明しようと、イギリスのケンブリッジ大学のキャベンディッシュ研究所に入り、クリックと出会う。

１９５１年の段階で、ワトソンとクリックは、ＤＮＡ分子の模型（モデル）を作って、二重らせん形ではないかという推論に達した。イギリスの科学週刊誌「ネイチャー」に二人の論文が掲載されると、世界中の学者がこれを認めた。

こうして、本格的な研究を始めてからわずか一年半で、ワトソンとクリックは、DNAの構造を突き止めたのである。1962年、二人はノーベル医学生理学賞を受賞した。DNAの正体を突き止めるまでを回想した著書『二重らせん』は、いまも読まれ続けているロングセラーである。

北里柴三郎（1853〜1931）

北里柴三郎は、日本が生んだ世界的な細菌学者。熊本に生まれ、熊本医学校を経て東大医学部を卒業。34歳のとき、ドイツに留学する。

北里は、細菌学の世界的権威コッホのもとで、ドイツ滞在4年目から、破傷風菌の研究をはじめる。その研究によって、血清療法の基礎を固め、北里の名は世界に知られることになった。北里はその功績によって、1901年第1回ノーベル賞候補にあげられたが、受賞には至らなかった。

40歳で帰国した北里は、日本にも伝染病研究所を作ろうと計画していたが、先輩学者のねたみと嫉妬にあって困窮した。その窮状を救ったのは、福沢諭吉だった。福沢は、自らの土地を提供、私財をなげうって、北里を所長とする私立伝染病研究所を建設する。

これが実を結んで、北里は1894年、世界で長いあいだ死の病として恐れられてきたペスト菌を発見。さらに1897年には、新入所員である志賀潔によって、赤痢菌が発見された。

湯川秀樹（1907～1981）

湯川秀樹は、日本初のノーベル賞（物理学賞）受賞者。後年には、核兵器の廃絶を訴えるなど、平和運動に積極的に関わったことでも知られる。

湯川は1907年、東京の麻布に生まれ、1歳のとき、父親の京都帝国大学の教授就任にともなって、京都に移住した。京都帝国大学の理学部を卒業後の25歳のときに湯川家の婿養子になり、小川姓から湯川姓になった。

その3年後の1935年、湯川は、英文で「素粒子の相互作用について」という論文を発表する。それこそ、当時世界で誰も考えていなかった「中間子」

の存在を予言する画期的な論文であり、後に彼をノーベル賞へと導く理論だった。

ところが、湯川が立てたこの仮説は、発表当時はほとんど反響を呼ばなかった。第二次世界大戦が勃発し、その説の検証どころではなくなり、湯川自身も、しばらくは別の研究に専念していた。

しかし、1937年、宇宙からやってくる粒子（宇宙線）の中から中間子が発見されると、湯川の理論がぜん脚光を浴びる。

そして、第二次世界大戦後の1947年、イギリスの学者によって湯川の理論の正しさが実証される。そして1949年、湯川はこの業績により、日本人として初のノーベル賞を受賞した。敗戦からまだ4年、戦争の傷が癒えていない日本にとって、このニュースは大きな希望の光となった。

5

大人なら知っておきたい
人体をめぐる
ウソとホント

薬のカプセルは、何でできている？

薬のカプセルは一見、プラスチック類のようにも見えるが、人間が飲み込むものにプラスチックが使われているはずもない。

カプセルの原料となるのは、牛や豚の骨や腱である。牛や豚の骨や腱を長時間煮込むと、そこからエキスが出てくる。そのエキスから蛋白質を抽出したものが、ゼラチンである。カプセルには、そのゼラチンが使われている。

ゼラチンは、乾燥状態では形を保っているが、胃や腸の中に入ると溶けてしまい、中に収めた薬が体内に吸収されることになる。

ゼラチン製のカプセルは、用途によってさまざまに工夫されていて、薬によっては、腸に至ってから吸収されるように、胃の中では溶けないカプセルに入れられている。そのタイプのカプセルは表面がコーティングされ、そのコーティングによって胃酸を跳ね返すのだ。

手術用の体内で溶ける糸の〝原料〟は？

手術用に使う糸には、人間の体の中で溶けるタイプがある。そのタイプは「吸収糸」と呼ばれ、1970年代にアメリカで開発された。

体内にしばらく残っていても害がなく、時間がたつと溶けてしまうので、抜糸の必要がないというわけだ。主原料には、乳酸菌など、人体の中にもともと存在する素材が使われている。

吸収糸が体内に入ると溶けるのは、水分に触れると、つながっていた分子がバラバラになる「加水分解」と呼ばれる性質にしているから。

手術で血管や組織などを縫い合わせた後、吸収糸は水分に触れると、徐々に分解し、最後には吸収されて消えてしまうというわけだ。

注射針のチクッという痛みが昔より軽くなったのは？

大人になっても、「注射」と聞くと、反射的に「痛い！」と思う人は少なくないだろう。

しかし、いまの注射は、昔に比べると、ずいぶん痛みが軽減されている。その第一の理由は、注射針の先端に「ランセットポイント」と呼ばれる技術が使われていることにある。

注射針は、ずっと昔から、皮膚に差し込みやすいように斜めに切ってあった。「ランセットポイント」は、その斜めに切った先端の角度を2段階にしたもの。そうすることで、鋭くとがった針の先端が、メスで皮膚を切るような働きをする。すると、針を単に突き刺すよりは、痛みが少なくてすむというわけである。なお、「ランセット」とはメスの刃という意味だ。

一方、昔の注射針は、先端を斜めに切ってあったが、切り口が1段階だけだった。しかも、針の先端がやや丸みをおびていたので、針を刺すとき、先端に負荷が集中してチクッとした痛みが発生していた。現在では、この1段カットの注射針は、すでに使われていない。

体重計は体脂肪率をどのように測っている？

体脂肪率の測定には、体脂肪がほとんど電気を通さないことが利用されている。

一方、筋肉はひじょうに電気を通しやすい。

そこで、体重計は、人がその上に乗ると、足元から微弱な電流を流して、体内の電気抵抗を測定する。

その数値をもとにして、体重計にそなわっているマイコンが体脂肪率を計算するという仕組みになっている。

失恋すると、食事ものどを通らなくなるのは？

失恋したときは、食欲がなくなるもの。どうしてだろうか？

失恋してストレスにさらされると、その刺激が視床下部に影響を与える。視床下部は自律神経系の中枢なので、交感神経を通じて副腎髄質からアドレナリンが分泌され、交感神経の緊張をさらに高めることになる。

消化器系の臓器は、副交感神経によって機能しているため、交感神経の緊張が高まると、消化器系の機能は低下する。つまり、消化能力が落ち、食欲がなくなることになるのだ。

睡眠中、体がストンと落ちる感じがするのは？

眠っているとき、体がストンと落下するような感じがすることがある。それは「スリープ・スターツ」と呼ばれる現象で、疲れがたまったときなどに起きやすくなる。

「ストン」と落ちたとき、人間の体に何が起きているかというと、足の筋肉が攣縮（れんしゅく）を起こしてビクッとなっているだけのこと。攣縮は、筋肉が急激に収縮し、また急速に弛緩する現象のことである。

スリープ・スターツが起きるのは、全身

が弛緩した状態で眠っているときに、この攣縮が起き、一部の筋肉が急に動くためといえる。

その情報が脳にフィードバックされると、脳は一種の錯覚状態に陥り、ストンと落ちるような感覚として受け止めるというわけだ。

怒ると、本当に頭に血がのぼるか？

「怒りで頭に血がのぼる」という表現もあるように、激しく怒ると顔が真っ赤になるものだ。これは本当に血液が頭にのぼるからで、そのことは医学的にも実証されている。

人が怒ったときは、脳幹にあるＡ６神経が、〝怒りのホルモン〟とも呼ばれるノルアドレナリンを大量に分泌する。すると、血圧が上昇し、脳内の血液量が増える。つまり、このホルモンの作用で、頭に血がのぼって顔が赤くなり、額の血管はふくらみ、浮き上がるというわけである。

鼻が詰まると、味がわからなくなるのは？

風邪をひいて、鼻が詰まると、なぜか味がよくわからなくなるもの。これは、料理のおいしさを感じるには、味覚（舌）だけでなく、嗅覚（鼻）も重要な役割を果たしているから。

匂いを感じとれないと、微妙な味わいがわからなくなるうえ、食欲も落ちてしまうのだ。

匂いを感じる器官は、鼻腔の奥にある「嗅球」という部位。嗅球がキャッチした匂いは、電気信号として大脳に伝えられ、大脳が「おいしそうな匂い」と判断すると、脳は消化器系の各器官へ指令を送る。すると、唾液や胃液の分泌が促進されるうえ、食欲も湧いてくる。

ところが、鼻が詰まっていると、鼻腔の奥にある嗅球まで匂いが届かなくなり、大脳への信号も送られなくなって、ご馳走を前にしても食欲が湧かないという事態に陥るわけだ。

冷たいものに触ると、痛みを感じるのは？

ひじょうに冷たいものを触ると、冷たさを通りこして、痛みを感じることがある。なぜだろうか？

人間の皮膚上には「感覚点」が散らばっている。感覚点には触点、痛点、圧点、冷点、温点の5種類があり、痛みの刺激には痛点、冷たい刺激には「冷点」が反応する。

たとえば、冷たいものを触ったときには、「冷点」が「冷たい」という感覚を生じさせる。その冷点は、ドライアイスのような、人体にとって危険なほどに冷たい物質を触っても、「冷たい」という感覚しか引き起こさない。それでは、人体にとって危険なので、そういう場合には「痛点」も参加する。痛点は、皮膚に害を及ぼしそうな刺激を受けると働きはじめ、冷たさであっても「その刺激は危険」と判断すると、痛みを引き起こして、体全体に警戒を呼びかけるのである。

石頭の「硬度」はどれくらい？

鉱物の硬さを調べる際には、ふつう「モースの硬度計」を使い、10種類の既知の鉱物で順番に引っかいてみて、傷つくかどうかによって硬さを調べる。

モースの硬度計に使われている鉱物を軟らかいものから順番にあげると、(1)滑石、(2)石膏、(3)方解石、(4)蛍石（ほたるいし）、(5)燐灰石（りんかいせき）、(6)正長石（せいちょうせき）、(7)水晶、(8)黄石、(9)鋼玉（コランダム）、(10)ダイヤモンドの順になる。

では、人間の石頭は、どのあたりに位置するかというと、石膏よりは硬いが、方解石よりは軟らかいというあたり。およそ2・5程度の「硬度」に相当する。

くさいと感じても、しばらくすると〝慣れる〟のは？

くさいと感じても、しばらくすると悪臭が気にならなくなるのは、なぜだろうか？

そもそも臭(にお)いは、それを生み出す物質の分子が空気中を漂って鼻に入り、鼻腔の奥にある嗅球などを刺激することによって生まれる感覚。ところが、人間の感覚器官は、刺激を受けると、最初の刺激に対しては敏感に反応するが、同じ刺激が何度も繰り返されると、脳に伝えるインパルスを減少させるという性質がある。

また、脳のほうも、同様のインパルスを繰り返し受け取ると、しだいに反応が鈍くなる。だから、最初は「くさい」と感じても、しばらくすると気にならなくなるというわけである。

恐怖に襲われたとき、顔から血が引くのはなぜ？

恐怖を感じると、顔から血の気がひいて真っ青になるのはなぜだろうか？

これは、恐怖を感じたときに、逃げるなり戦うなりの行動を起こすための準備といえる。人間は恐怖を感じると、自律神経のうちの「交感神経」が働き、体全体が緊張状態になる。ノルアドレナリンやアドレナリンなどの神経伝達物質が分泌され、各器官に働きかけ、体にさまざまな変化を生じさせる。心臓の鼓動は激しくなり、瞳孔は大きく開き、皮膚の毛は逆立ちするという具合だ。

顔から血の気が引くのも、そうした現象のひとつ。血の気が引き、真っ青に見えるのは、末梢神経の収縮によって血管が細くなるため。血管を流れる血流量が少なくなり、顔から赤味が消えるというわけである。

声の質を決定するものは何？

美声やだみ声など、人の声の質はどうやって決まるのだろうか？

声は、のど仏の奥にある声帯が振動して出る音であり、声の高さは声帯の振動数や緊張の度合いによって決まる。

一方、声の音色は共鳴腔の形によって決まる。

共鳴腔は、声を共鳴させる空洞のことで、咽頭や口腔、鼻腔からなる。声の音色は、この共鳴腔というスペースがどう使われるかによって変化する。

噂の「臍帯血」はどうやって集められている？

「臍帯血(さいたいけつ)」は、母体と胎児を結ぶ臍帯（へ

その緒）や胎盤の中に含まれている血液のことである

白血病の治療などで、効果を発揮している。

臍帯血には造血幹細胞がたっぷり含まれているので、白血病患者らに臍帯血を移植すると、正常な血液をつくる能力を回復させることができるのだ。

では、その臍帯血は、どのようにして集められているのだろうか？　基本的には通常の献血と同じで、妊娠中の女性に協力を要請して集めている。臍帯に針を刺して採取するが、母親や胎児が痛みを感じることはないという。

マイコプラズマって、何者？

近年、「マイコプラズマ」が引き起こすカゼや肺炎が流行している。インフルエンザのような高熱は出ないが、微熱と乾いたせきが長く続くのが特徴だ。

マイコプラズマは、インフルエンザのようなウイルスではなく、70種類以上の細菌の総称。マイコプラズマの仲間は、人体の中に常時十数種類はいて、肺以外の場所では人間と共存している。つまり、病気を引き起こすことはない。

ところが、肺にはいると、マイコプラズ

マが人体を攻撃するわけではないのだが、人体に備わった免疫系が過剰反応を起こし、熱やせきが出る。重症化すると、肺炎を引き起こすこともあるので要注意だ。

なぜ潜水病にかかるのか？

深海から一気に浮上するのは、ひじょうに危険である。深い海から急浮上すると、体にかかる水圧が一気に低下する。すると、血液中に溶けていた窒素が気泡化して血管をつまらせ、さまざまな症状が生じる。そのため、いわゆる「潜水病」は、医学的には「減圧症」と呼ばれる。

症状は、軽い場合は、気泡が生じた関節、筋肉などが痛む程度。

重くなると、激痛が走り、歩けなくなる場合もある。さらに、気泡が血流に乗って移動し、別の場所で詰まると、呼吸困難、胸の痛み、めまい、耳鳴り、意識障害などの症状が現れる。場合によっては、後遺症が残ったり、死に至ることもある恐ろしい疾患だ。

「痛風」とビールの意外な関係は？

痛風は「風が触れても痛い」と表現されるほどの激痛から、その名がついた病気。

発症するのは、30～40代の働き盛りの男性が圧倒的に多く、「ある朝起きたら、手足にとんでもない激痛が走った」というように、症状がでるまで気づかない人が多い。

痛風の痛みの原因は、尿酸ナトリウムの蓄積によるものだ。尿酸は、人の体では分解できないため、ふつうは尿と一緒に排出される。

ところが、処理しきれないと、手足などの末端や、関節などに結晶化してたまってしまう。

すると、尿酸ナトリウムの結晶を異物とみなした白血球が、排除すべく攻撃をはじめるのだ。それで、手足に激痛が走るのである。

痛風は、おいしい食べものに多く含まれる「プリン体」が原因といわれる。そこから、「現代のぜいたく病」とも呼ばれているが、このプリン体が多いことで有名なのが、晩酌に欠かせないビールだ。

これがどれほど多いかといえば、100グラムに含まれるプリン体の量は、ウイスキーは0・12ミリグラム、焼酎が0・03ミリグラム、ワインは0・39ミリグラム、ビールは6・86ミリグラムと断然トップである。

そのため、最近では「プリン体○パーセントカット」と謳った発泡酒が各メーカーから発売されている。ただし、ビールさえ控えれば、あとは何を食べてもよいというわけではない。

ビールは、アルコールのなかではプリン体が多めというだけで、食品とくらべれば、とくに多いとは言えないからだ。牛ヒレ肉、レバー、エビなど、ビールより圧倒的に多くのプリン体を含む食品もある。ビールを控えても、プリン体たっぷりのおつまみを食べていては意味がない。

ビフィズス菌は、なぜお腹にいいのか？

ビフィズス菌は、腸内にすむ善玉菌の一種。乳酸や酢酸を作りだして、腸内細菌のバランスを整えてくれる。

人間の腸内には、ビフィズス菌以外にもいろいろな細菌がすんでいて、健康なときはそれらの腸内細菌が適度なバランスを保っている。しかし、何らかの原因によって、善玉菌が減ってバランスが崩れると、下痢を起こすなど、お腹の調子が悪くなる。

そんなとき、ビフィズス菌は、乳酸や酢酸を作ることによって、腸内細菌のバランスを正常に戻してくれるのだ。

また、ビフィズス菌には、腸内部を酸性にして有害な細菌を増やさないという力もある。

大酒を飲むと、右の肋骨の下が痛むのは？

「沈黙の臓器」とも呼ばれる肝臓。多少の機能低下では自覚症状が現れにくく、病状がかなり進んでから、初めてさまざまな症状が現れる。

その肝臓は、右肋骨の下にある。大酒を飲んだりすると、右肋骨の下が痛み出すのは、肝臓が悲鳴をあげているシグナルといえる。それは自覚症状の表れといえ、すでに脂肪肝などが進行している可能性が高いとみたほうがいい。右肋骨下あたりに違和感を覚えるのは、沈黙の臓器である肝臓がかたい口を開いた証拠といえるのだ。

天気が悪くなると、古傷が痛むのは？

古傷が天気の変化によって痛み出す理由はごく単純。その傷が完全には治っていない、少なくとも元の状態には戻っていないからだ。

そもそも、人間の体は、骨折などによって傷つくと、表面的には傷が癒えても、組織の内部まで完全に元通りになることはない。

そのため、ふだんは痛みを感じなくなっていても、天気が悪かったり、季節の変わり目になると、以前とは違う状態の部位がシクシクと痛み出すというわけだ。

一流スポーツ選手が意外に体が弱いのは？

「過度の運動が免疫力を弱める」ことは、現代医学の常識だ。

免疫機能に関しては、白血球が大きな役割を担っている。白血球は、顆粒球（かりゅうきゅう）、単球、リンパ球の三種類に分けられるが、過度の運動をすると、顆粒球、単球の機能が低下するうえ、リンパ球の数が減ってしまうのだ。

たとえば、遠泳、長距離走、自転車レースを続けて行うトライアスロン競技の前後で、リンパ球数を測定したところ、多くの選手のリンパ球が約20％が減ることがわかっている。

というわけで、過度な運動をすると、免疫力が落ちることになり、風邪をひきやすくなったり、重い病気にもかかりやすくなるのである。

うたた寝をすると、風邪をひきやすいのは？

人間の体には、周囲の環境変化に合わせて対応する機能が備わっている。それは自律神経の働きによるものだが、睡眠中はその働きが鈍くなる。

そのため、夜眠るときには、布団をかけるなどの準備をしてから眠るわけだが、そうした準備をしないで、うたた寝してしまうと、周囲の温度変化に十分に対応できなくなって、体温を失うなどして、風邪をひくことになりがちなのだ。

人間も、冬になるとすこしは毛深くなっている？

冬場、多くの動物の体毛は、冬毛に生え変わる。では、人間も、冬になると、すこしは毛深くなっているのだろうか？

人間は、進化の過程で、体毛によって寒さから身を守るという機能を失っている。そのため、現在の人間は、冬場、体毛が濃くなるということはない。

人間は、長らく衣類を着て生活してきたので、今は体毛によって温度変化に対応するという能力を失ったというわけだ。

そもそも、どうして胆石ができる？

胆石症は、右上腹部に激しい痛みを引き起こす病気。なぜ体の中に胆石のような石ができるのだろうか？

それは、不要物を含んだ胆汁が石化するため。胆汁は、胆汁酸やコレステロール、ビリルビン、リン脂質などによって構成される消化液。肝臓で生成された後、胆嚢に集められ、必要に応じて分泌されている。消化吸収には胆汁酸のみが使われ、残りは不要物として体外に排出される仕組みだ。

ところが、それらの不要物がちゃんと排出されず、時間がたつうちに石化することがある。それが、胆石の〝原材料〟になる。

多くとりすぎると危険なビタミンって？

ビタミン剤のとり過ぎで害になるかどうかは、水に溶けるか、油に溶けるかによって違ってくる。

まず、ビタミンC、ビタミンB群は、水に溶ける「水溶性」なので、摂取しすぎても尿と一緒に排出されるため、問題は生じない。ただし、ビタミンB群のなかでも、ビタミンB_6はとりすぎると害が出ることもあるので、注意したい。

一方、ビタミンA、ビタミンDなどの「脂溶性」ビタミンは、尿からは排出されにくいため、肝臓などの臓器に蓄積され、過剰症を引き起こす原因となる。そのため、サプリメントを飲むときは、決められた量、回数を守るようにしたい。

ビタミンB群の「群」って何？

薬局のサプリメントコーナーに行くと、ビタミンBは「B群」として販売されている。なぜ、ビタミンBは「B群」とひとくくりにされるのだろうか？

ビタミンBの仲間には、B_1、B_2、B_6、B_{12}、ナイアシン、パントテン酸、葉酸、ビオチンの8種類があり、それらは「ビタミンB群」と総称されている。

これらのビタミンBの仲間は、単体では効果を発揮しにくく、互いに関係し合って機能している。必要なものが欠けると、ほかのビタミンの効力もストップし、うまく機能しなくなってしまうのだ。そこで、ビタミンBの仲間は「ビタミンB群」として、まとめて販売されているのだ。

コレラ菌を飲み干した学者のその後とは？

医学の発展の陰で、おびただしい数の実験動物が犠牲になってきたことは言うまでもない。その犠牲は動物にとどまらず、昔は研究者みずから実験台となるケースも少なくなかった。医学の進歩には、命がけの人間ドラマがひそんでいるのである。

たとえば、胃潰瘍や胃がんの原因になる

ピロリ菌の悪性は、研究者がピロリ菌を飲んで実証されたことで知られている。

その一方で、病原菌の存在を否定しようとして、それを飲んだ学者もいる。ドイツの衛生学者、マックス・フォン・ペッテンコーファーは、コレラ菌の存在を否定するために、それを飲み干したのである。19世紀に記されたドイツの衛生学の研究記録『メディシンカルテル』に、その詳細が記されている。

19世紀、原因不明の伝染病が蔓延し、世界で100万人を超える死者を出した。当時すでに、衛生学の権威だったペッテンコーファーは、この病気の原因は人々の不衛生な生活にあると考えたが、若手の学者が「コレラ菌が原因だ」という研究論文を発表したため、それを否定するために、その学者のもとを訪れたという。

そこで激論を交わした末、ペッテンコーファーは「自分がコレラ菌の存在を否定してみせる」と、コレラ菌を一気に飲み干してしまったのだ。

――果たして、ペッテンコーファーの運命やいかに？　むろん、コレラ菌を飲んだのだから、ペッテンコーファーがコレラにかかったことは言うまでもない。だが、幸い、命はとりとめた。そして、コレラ菌の存在を認めると、一線から退いたという。

抗生物質の使い過ぎがもたらした新事態とは？

抗生物質は、半世紀ほど前には、魔法の薬のように扱われていた。抗生物質の投与により、多くの病気を治すことができるようになったからだ。

ところが、ここへきてその地位が揺らいでいる。抗生物質に対して抵抗力をもった細菌が、次々と現れているからだ。「耐性菌」といわれる細菌で、いま耐性菌が増加し、抗生物質が効かなくなりつつあるのだ。

耐性菌が登場したのは、抗生物質の使い過ぎが原因と指摘されている。１９５４年の段階で、アメリカでは抗生物質が90万キロ製造されていた。これが20世紀末には、すでに２２００万キロ以上製造されていた。半世紀も経たないうちに、アメリカでの抗生物質供給量は20倍以上にもなったのだ。

そうして、膨大な量の抗生物質が人体に投与されると、細菌側もやがて変化しはじめる。最初は抗生物質にやられっぱなしだったものが、突然変異を起こし、抵抗力を持った細菌が現れるようになったのだ。

そのメカニズムはこうである。抗生物質の投与によって病気が治ると、それ以上抗生物質が投与されることはない。すると、人体内でわずかながら生き残った耐性菌は、邪魔されることなく、増殖をはじめる。そうなると、ふたたび発病したとき、もうそれまでの抗生物質では効かなくなっていることがあるのだ。

新たな耐性菌を倒すには、新手(あらて)の抗生物質を開発するしかない。しかし、それを大量に投与すれば、新手の抗生物質に対する耐性菌が生まれてくる。このようないたちごっこが続き、抗生物質は使えば使うほど、効かない薬になってきているのだ。

１００度のサウナで、やけどをしないのは？

１００度の風呂に入ると大やけどを負うが、同じ１００度でも、サウナならしばらくの間は耐えられるもの。どうしてだろうか？

これは、液体と気体では、熱の伝わり方が違うことによる。そもそも、温度が高いということは、物質の構成分子が激しく不規則運動をしているということ。そして、人が熱いと感じるのは、その熱を帯びた分子が皮膚にぶつかり、感覚器官を刺激するためである。

ところが、同じ高温でも、気体と液体では、分子間の距離が大きく違う。気体のほうが分子間の距離が長く、まばらであるため、皮膚に接触する分子数は、液体よりも少なくなるのだ。

そのため、同じ100度でも、空気(気体)を加熱したサウナは、熱を帯びた分子数が少ないため、人は熱湯ほどには熱くは感じないし、やけどすることもないのである。

日焼け止めが日焼けを防げるワケは?

人が日焼けするのは、紫外線を浴びるから。

逆に日焼け止めクリームが日焼けを防ぐのは、その紫外線の影響をカットするからである。その方法は、大きく2つに分かれる。

ひとつは、微粒子が塗布膜を作り、紫外線を散乱させてカットするタイプ。これは「ノンケミカル」と表示されているタイプで、微粒子(粉末)を顔につけることになるため、顔が白っぽくなったり、何度も塗りなおす必要がある。

もうひとつは、オキシベンジンなどの有機化合物によって、紫外線を吸収するタイプ。こちらは顔に塗っても色がつかず、紫外線防止効果も大きいが、人によっては肌が荒れることがあるのが難点とされている。

座って勉強しているだけで、腹が減るのは？

人体がエネルギーを消費するのは、筋肉を使って運動したときだけではない。頭を働かせたときも、かなりのエネルギーを消費する。大脳皮質はブドウ糖だけをエネルギー源とし、しかもかなりの〝大食い〟なのだ。

人間の脳の重さは、体重全体の2％ほどだが、脳の酸素消費量は、体全体の消費量の40％にものぼる。ブドウ糖にいたっては、体全体の75％も消費しているのだ。

そのため、脳をフルに使って勉強や仕事をしているときは、ブドウ糖がどんどん消費量されている。すると、血糖値が下がり、お腹が空いたと感じるわけである。

蚊に刺されると、なぜかゆくなる？

人の血液には、空気に触れると固まる性質がある。むろん、血が固まると、蚊は人間の血を吸うことができなくなってしまう。

そこで、蚊は、自分の唾液に、人間の血液が固まらないような物質をまぜて、人間の皮膚に注入し、そのあとで血を吸い出している。

その際、人間の体では、蚊に注入された

唾液の成分によって、アレルギー反応が生じる。それが、皮膚のかゆみとなって現れるというわけだ。

コラーゲンで〝お肌ぷるぷる〟は本当か？

「食べればお肌ぷるぷるに」「関節の痛みに効く」などと盛んに宣伝されているコラーゲン。コラーゲン飲料、化粧品、サプリメントのほか、「コラーゲン鍋」なる鍋料理が登場し、美容が気になる女性たちが飛びついて、一躍ブームになったこともある。

コラーゲンは、全身に存在するたんぱく質の一種で、臓器を形づくるなど、細胞と細胞をくっつける働きをしている。なかでも、コラーゲンが多く含まれるのは皮膚、内臓、血管、骨で、その4割までが皮膚に存在する。

コラーゲンの繊維はらせん状で、皮膚の真皮を網の目のように走っている。つまり、このコラーゲンの束が、肌の弾力を下から支えているのだが、皮膚のコラーゲンは加齢とともに減少し、体内でつくりにくくなってくる。

また、コラーゲンは紫外線を浴びることでも破壊される。それが原因で、肌にシワができたり、弾力が失われてくるというわけだ。

では、コラーゲンをたくさん食べれば、肌の弾力は取り戻せるのだろうか。結論からいうと、コラーゲンを食べたからといって、お肌がぷるぷるになるとはかぎらない。

というのも、ドリンクや食品などから摂取したコラーゲンは、そのままコラーゲンとして働くわけではなく、体内でいったん分解されてしまうからだ。

コラーゲンは、胃や腸に入ると、いったんアミノ酸に分解され、ふたたびたんぱく質の合成に使われる。したがって、コラーゲンそのものを食べなくても、たんぱく質を食べていれば、コラーゲンを生成することはできる。

ただし、〝効率的〟にコラーゲンを体内でつくりだすには、他のたんぱく質ではなく、コラーゲンそのものを食べるのがもっともよいという研究結果もある。コラーゲンがたっぷり含まれる食品は、フカヒレ、すっぽん、鶏の手羽先、魚の煮こごりなど。食べるときには、コラーゲンの生成を助けるビタミンCも同時にとると効果的だ。

体がひえることと風邪の関係は？

毎年、風邪ウイルスが猛威をふるうのは、気温の下がる冬。「寒いから体を温かくして、風邪をひかないようにね」「体を冷やすと風邪ひくよ」などといって、冷え予防に一生懸命になるのは、体が冷えると風邪をひきやすいと思われているからだろう。

だが、じつのところ、体が冷えることと風邪をひくことは、まったく関係がない。そういうと驚く人がいるかもしれないが、考えてもみてほしい。

体の冷えが風邪の原因なら、寒いところで暮らしている人は、しょっちゅう風邪をひくことにならないだろうか。しかしじっさいには、暖かいところに住んでいても風邪はひくし、南極などもっとも寒い地域に住む人々は、風邪をひかないという事実もあるのだ。

じつは、風邪の原因の90パーセントは、風邪ウイルスによるものである。冬の間にウイルスに感染しやすいのは、寒さのせいで部屋の窓を閉め切ったままにしているためだ。

ウイルスの粒子で汚染された空気は、外の新鮮な空気に触れることが少ないため、そのまん延を助長してしまうのである。

むろん、寒いときに体を温めるのは、体調を崩さないために必要なことだが、風邪ウイルスから身を守るには、うがいと手洗いを徹底することが第一。

また、空気が乾燥すると、鼻やのどの粘膜を傷め、風邪ウイルスが体内に入りやすくなる。インフルエンザウイルスは、湿度を50パーセント以上に保てば減少するため、湿度の下がる冬場は、加湿器をつけるのも効果的だ。

口のなかが乾く ドライマウスの原因とは？

口の内部が乾く「ドライマウス」は、正式には「口腔乾燥症」といい、れっきとした病気。ただ、自分では自覚しにくいため、見逃されていることが少なくない。

唾液の働きは、食べ物を飲み込みやすくするだけではない。その主な働きの一つは「抗菌作用」で、外から侵入してくる細菌を撃退したり、口のなかに50億個以上もいる常在菌のバランスを整えて、体内への悪玉菌の侵入を防いでいる。

しかし、唾液の分泌量が何らかの原因で少なくなると、常在菌のバランスが崩れ、悪玉菌が増殖して、虫歯や口臭、歯周病を引き起こすことになる。

また、唾液が少ないと、食べものが飲み込みにくくなり、常在菌が器官から肺にまぎれ込みやすくなる。免疫力が下がっている高齢者の場合、これが原因で肺炎にかかり、命を落とす危険もあるのだ。

唾液が減ってしまう原因はいくつかあるが、その一つはストレスによるもの。人前でスピーチをしたときに口が渇くのは、緊張すると唾液の分泌量が減るからである。むろん、そのような一時的な唾液の不足なら、スピーチが終われば解消される。

問題なのは、ストレスが長く続いて、自律神経のバランスが崩れてしまった場合。必要なときに唾液の分泌がうまくいかなくなり、ドライマウスの原因になる。

現代人に多いのは、やわらかいものばかり食べて、唾液を分泌させるのに必要な筋肉が弱っていることも、原因の一つ。唾液の分泌を促進するには、ごぼうやするめなど、歯ごたえのあるものを、よく噛んで飲み込むこともトレーニングになる。

その他、糖尿病や腎臓病などの病気でも、唾液の分泌が減ることがある。たかが唾液となめてかかると、その裏に深刻な病気が潜んでいる可能性もあるというわけだ。

汗をかいていなくても加齢臭が臭うのは？

人のにおいには敏感でも、自分の発するにおいには気づきにくいもの。さらに中高年を迎えると「加齢臭」なる独特のにおいが発生する。

加齢臭とは、別名「オヤジ臭」ともよばれるとおり、女性よりも男性のほうがにおうのが特徴。一般に男性の場合、40歳を迎える頃から、しだいに強くなってくる。

加齢臭のニオイのもとは、ノネナールと呼ばれる体臭成分だ。皮脂腺から分泌されるパルミトオレイン酸という脂肪酸が酸化すると、ノネナールが発生して、においを放つ。

このパルミトオレイン酸、若いうちはほとんどつくられない。つまり、ノネナールが増えることがない。そのため、若い人は、汗をたくさんかいても、「オヤジ臭」が漂うことはないのである。

ちなみに、加齢臭が匂い立ちやすいのは、耳の後ろあたりといわれているので、入浴のさいは、洗い忘れのないように。

むろん、体臭はノネナールだけでなく、タバコや酒、食事など生活習慣によっても変化する。肉や揚げものなど、脂っぽいものを食べすぎるのも、においが強くなる原因の一つだ。エチケットだけでなく、体の健康のためにも、食生活を見直したい。

心電計は、どうやって心臓の動きを測定している？

われわれ人間の筋肉が動くのは、脳から「動け」という指示が出るから。たとえば、野球選手がボールを取るときは、神経から脳に「ボールがきたぞ」という情報が伝わり、脳から「ボールを取れ」という指示が出る。それが手足の筋肉に伝わることで、キャッチできるのだ。

そのような脳からの指示は、電気信号によって筋肉に伝えられている。人体はコンピュータとよく似ていて、われわれの体のなかでは、つねにさまざまな電気信号が行き来しているのである。

心電計も、その人体のメカニズムを利用して生まれたものである。手足の筋肉の動きは目で見ることができるが、心臓は取り出すわけにはいかないので、見ることができない。そこで、心臓から発せられる電気信号を測定し、そこから心臓の動きをチェックしているのである。

その電子信号を記録したものが「心電図」だ。心電図には、ギザギザの波が描かれるが、あれは心臓から発せられる電気信号を表している。

心電計は入力部、増幅部、記録部から構成されていて、入力部で信号を取り出し、増幅部でその信号を増幅し、記録部でデジタル信号に変換し、図として出力する。

信号を途中で「増幅」するのは、心臓から出ている電子信号が、1000分の1ボルト程度のひじょうに微弱なものだからだ。

ちなみに、心臓から電気が発せられていることが発見されたのは、1903年のこと。発見者であるオランダの生理学者ウィレム・アイントホーフェンは、1924年、この業績によってノーベル生理学・医学賞を受賞している。

レントゲン検査で、バリウムを飲むのは?

胃カメラの前に飲むバリウム(Barium)は、原子番号56の元素。1774年、「酸素の発見者」として有名なスウェーデンの科学者、カール・ヴィルヘルム・シェーレによって、軟マンガン鉱から発見され、1808年にイギリスの科学者であるハンフリー・デービーによって単体として取り出された。

ハンフリー・デービーは、アルカリ金属やアルカリ土類金属を多く発見したことで知られている人物。バリウムも、アルカリ土類金属の一つで、密度が大きく重いことから、ギリシア語で「重い」を意味する言葉から、こう命名された。

じつは、バリウムは有毒な物質だというのをご存じだろうか。バリウムはイオンとなって体内に入ると、吐き気や下痢、麻痺などの中毒症状が起き、死に至る場合もある。

というと、「健康診断のたびに、そんな危険なものを飲まされてるわけ?」と驚く人もいるだろうが、われわれがレントゲン検査のときに飲んでいるのは、純粋のバリウムではなく、「硫酸バリウム」である。

硫酸バリウムはひじょうに安定した物質で、胃酸にも溶けない。だから、胃のなかに入ってもイオンにならず、飲んでも問題はない。

ちなみに、レントゲン検査で硫酸バリウムが使われるのは、バリウムが人体に含まれるどの元素よりも、多くの電子をもつからだ。

電子の多いバリウムはX線を通さない。そのため、硫酸バリウムを飲んでX線撮影を行うと、消化器官などの輪郭が鮮明に映し出されるのである。

背骨はなぜ曲がっている？

人の背骨は、かるくS字型のカーブを描いている。これは、なぜだろうか？

人の体には、歩くたびに衝撃がかかっている。その衝撃を受け止め、和らげるため、背骨はS字カーブを描いている。もし、背骨がまっすぐだとすると、一歩歩くごとに、体全体が大きな衝撃を受けるはずだ。たとえば、段差から降りて着地するとき、背骨がまっすぐだと、足が受けた衝撃が内臓や頭（脳）にダイレクトに伝わってしまう。

実際には、S字型の背骨がクッションと

なって衝撃を受け止めているので、内臓や頭に大きな負担をかけることなく、着地できるのだ。

人が味を感じる仕組みは？

舌の表面はざらざらしているものだが、それは表面に小さな突起が散在しているため。それらは乳頭と呼ばれ、ひとつの乳頭には「味蕾（みらい）」という味覚を感じる組織が約200個ずつあって、舌全体では約1万個の味蕾が存在する。その味蕾によって、人は味を感じとっている。

食物を口に入れて噛むと、その食物に含まれる味成分が水分や唾液に溶け、口の中に広がる。すると、味蕾の先端にある味孔という穴から、味成分が入りこみ、味蕾の中にある細胞へと伝わっていく。その細胞が味を感じとり、大脳へ刺激を伝えて、人は味を感じとるというわけだ。

音が聞こえる仕組みは？

人間の耳に届いた音は、まず外耳道を通って、鼓膜に伝わる。鼓膜は、大きな音のときは大きく、小さな音のときは小さくと、音の大きさに合わせて振動する。

その振動は、鼓膜のそばにある耳小骨へ

届く。耳小骨には、つち骨、きぬた骨、あぶみ骨の3種類があり、音はそれらの骨を経由するうち、大きすぎる音は小さく、小さすぎる音は大きくなるように調節される。

こうして、耳小骨を通る際、ほどよい大きさになった音は、内耳へと伝えられる。そこで、蝸牛（かぎゅう）という器官で、音は電気信号に変えられる。その電気信号は蝸牛から神経を通じて大脳へ送られ、人間は耳からはいってきた音を認識することになる。

砂糖の摂り過ぎはどこがどうキケンなのか？

料理やお菓子の甘みづけに欠かせない砂糖。ただ、砂糖をたくさんとると、太るうえ、虫歯になり、成人病を引き起こすとされる。

とくに、メタボが気になる中高年世代には、摂取を控えている人が多いことだろう。

砂糖は、化学的には「ショ糖（スクロース）」と呼ばれ、ブドウ糖と果糖が結合した物質。

原料は、サトウキビやテンサイなどで、それらに含まれるショ糖を精製して、グラニュー糖やザラメ、上白糖、三温糖、氷砂糖など、さまざまな砂糖がつくられている。

では、砂糖は本当に体に毒なのだろうか？

日本でささやかれている有害論には、「砂糖は骨のなかのカルシウムを溶かしてしまう」という説がある。

これは、ある大学教授が発表したもので、「砂糖はビタミンB_1を含まないため、たくさん食べると、B_1が不足する。すると、ピルビン酸が増えて、血液が酸性になり、それを中和するために、骨のなかのカルシウムが溶け出してしまう」

という説だ。

たしかに、砂糖をはじめ、ブドウ糖やでんぷんなどの「糖質」がエネルギーとして利用されるためには、ビタミンB_1が不可欠。だが、それはご飯やパン、麺類でも同じことで、これらの穀物が含有するビタミンB_1の量では、糖質をエネルギーにするには不十分だ。

つまり、不足分は「おかず」で補う必要がある。

それなのに、砂糖だけを取り上げて、カルシウムが溶け出すというのは、いわば極論。

酒も少量なら百薬の長だが、飲みすぎればアルコール中毒になるように、どんな食べ物でも摂り過ぎれば体によくないのは、砂糖も同じこと。要するに、それを口にする側の〝摂り方〟にかかっているだけのことである。

そもそもどうしてゲップがでるの？

炭酸飲料を飲んだあとなどには、ゲップが出るもの。なぜ、出るのだろうか？

人はものを食べるとき、食べ物とともに空気も飲み込んでいる。飲み込んだ空気は胃に流れ込み、その空気が一定量を超えると、胃はそれらを外へ押し出そうとして、胃の入り口である噴門が開く。

すると、そこから、胃の中の空気やガスが噴き出し、ゲップとなる。つまり、ゲップとは、胃内部を減圧するための空気の逆流現象なのだ。

炭酸飲料を飲むとゲップが出やすくなるのは、飲料に含まれている二酸化炭素が胃にたまるからである。

6

子どもに聞かれて困らない生物の新常識

動物園にいる熱帯の動物は、日本の冬をどう乗り切る？

猛暑の夏、動物園のシロクマがぐったりとしている姿が、テレビで紹介される。ただ、シロクマはつらそうではあるが、猛暑でも死ぬわけではない。

ライオンやシマウマといった熱帯の動物も、同様である。雪の舞うような冬の寒さのなかでも、彼らは凍死はしない。寝室に暖房を備えている動物園もあるが、日中は檻のなかで寒い日本の冬に耐えている。

どうして、そんなことができるかといえば、動物には環境に合わせて生きていく適応力が備わっているからだ。

それは、慣れの力といってもいい。日本の商社マンだって、猛暑のインドネシアから、極寒のモスクワに転勤しても、元気に働いている。

さらにいえば、熱帯の動物は、その生息地でも低温状態にさらされることがある。サバンナや砂漠の夜は、日本人には思いもよらないほど冷える。ライオンやシマウマも、

10℃くらいには冷え込む夜を体験しているのだ。

寒帯で育った動物も、同様だ。寒帯にも、夏場、気温が上がる日がある。寒帯の動物は、凍てつく寒さも知っているし、夏の暑さも知っている。だから、日本の四季の変化にも対応できるのだ。

ただし、さすがに南極の動物は、日本の暑さに適応できない。南極産のコウテイペンギンやキングペンギンらは、夏になると冷房のある部屋で暮らすことになる。

実は、イヌはネコと同じくらい〝猫舌〟だった⁉

熱い食べ物が苦手であることを意味する「猫舌」は、ネコが温度の高い食物を食べないことに由来する言葉。これは、イヌを含めて、ほかの動物も同じこと。

火を使って食べ物を熱するのは人間だけであり、一般に人間以外の動物は、自然界では、熱い食べ物には口をつけない。ネコ、イヌだけでなく、動物はすべて〝猫舌〟なのだ。

ネコはまばたきをすることはないのか？

ネコは、ほとんどまばたきをしない。その回数は人間の30分の1以下。人間が毎分10回程度するのに対して、ネコは数分に1回程度しか、まばたきをしない。まばたきは、眼球の表面は水分でうるおわせ、目を乾燥から守るためのもの。それをしないということは、ネコの目はまばたきの必要がないくらい、乾燥に強いということだ。

ネコ科のライオンはマタタビで酔っぱらうか？

マタタビは、ネコの大好物。ただし、マタタビにはネコの神経系統に作用する成分が含まれているので、やがてネコは酔っぱらったような状態になってしまう。

これは、同じネコ科の大型動物であるライオンも同様で、ライオンはマタタビを好物とし、また大量に食べると、興奮し、暴れ出したりもする。

イヌの口のまわりが黒っぽいのは？

イヌの顔は、なぜか口のまわりだけは黒っぽいもの。その理由は、顔の、口のまわりに、あまり毛が生えていないことにある。

ほかの部分に比べて毛が薄いため、太陽光線（紫外線）の影響を大きく受けて、その部分だけ日に焼けてしまうというわけだ。

しかも、イヌの体は、メラニン色素が人間以上に深く沈着してしまう。要するに、時間がたっても日焼けした色がさめないわけで、紫外線を浴びるたびに、口のまわりがどんどん黒くなっていくというわけだ。

シマウマがシマウマである理由が、ついに判明!?

近年、イギリスのブリストル大学と、アメリカのカリフォルニア大学の研究チームが、「シマウマのシマの存在理由」について研究、その理由を明らかにしたという。両研究チームによると、あのシマには、虫に刺されにくくする効果があるというのだ。

両研究チームでは、シマウマのまわりを飛ぶアブを観察。すると、シマウマのまわりを飛ぶアブは、普通の馬の周辺のアブと比べて、シマウマの体にうまく止まれないことが多かったという。つまり、シマウマのシマは、アブに対して迷彩色になっていると考えられるのだ。

この研究成果に基づき、昨今では、次のような研究も行われている。牛の体にシマ模様をつけて、アブのような吸血昆虫の害を防ごうというのだ。実際、牛の体にスプレーで縞模様をつけると、体に止まる虫の数が約半分まで減ったという。

そうすれば、牛の感染リスクが低くなるうえ、ストレスが軽減して発育や牛乳の出もよくなると考えられる。というわけで、今後、遺伝子操作などによって、「シマウシ」が誕生するかもしれない。

冬眠中のクマは大便をどう処理している？

クマは冬眠中、大便や小便をどう処理しているのだろうか？

じつは、クマは冬眠中、オシッコもウンチもしない。冬眠中、クマの体内では毒性の尿素などがクレアチニンという無害の物質に変化している。そのため、排泄をしなくても体調を崩すことはないのだ。

また、動物園で飼われているクマは冬眠しない。クマは、皮下脂肪が一定の厚さ以上にならないと、冬眠をしないが、動物園では食事の量が管理されているので、冬眠スイッチがはいるほどに、脂肪が分厚くならないのだ。

ホッキョクグマが氷の上を滑らずに歩けるのは？

ホッキョクグマは、北極の氷の上を苦もなく歩いていく。なぜ滑らないのだろうか？一般に、クマの足の裏は、人間と同様、ツルツルしているのだが、ホッキョクグマの足の裏には、細かな毛がビッシリと生えている。それを滑り止めにしているので、氷の上でもアザラシを追って走ることもできるのだ。

ホッキョクグマは南極でも暮らしていける？

ホッキョクグマを南極に連れて行くと、どうなるのだろうか？専門家に尋ねると、たぶん環境に適応し、生存できるだろうという。たとえば、食料の問題では、ホッキョクグマは、北極ではアザラシをエサにしているが、南極にもアザラシがいるし、より捕獲しやすいペンギンも多数生息している。エサに困ることはないとみられる。

コアラはなぜ蚊に刺されない？

コアラが主食とするユーカリの林のそばには、沼が広がっていることが多く、そのため、ボウフラが湧き、蚊が大量発生するエリアである可能性が高い。それでも、コアラは蚊に刺されないという。

その理由は、彼らが主食にしているユーカリにある。ユーカリの葉には、パラ・メンタン3・8ジオールという揮発性の物質が含まれている。その匂いが蚊を遠ざけるのだ。

サルは本当にノミを取り合っているのか？

動物園のサル山では、サルが二匹一組になって、互いの体を指先で探っている姿を見かけるものである。

それは、昔から「サルがノミを取り合っている」と見立てられてきたが、本当はノミを取り合っているわけではない。

あの行為は「グルーミング・トーク」と呼ばれ、親密行動の一種といえる。サルは相手の体をさわり、ゴミを取り除いたりすることで、敵対しないことを表したり、相手を交尾に誘ったりしているのだ。

また、その行為には、もうひとつの目的もある。サルは、汗が蒸発した後に残る塩を仲間の体からつまみだして、塩分を補給しているのだ。

「アリクイはアリしか食べない」のウソとは？

アリクイは、アリを主食とする動物で、一日に3万匹ものアリを食べる。ただし、野生のアリクイは、アリのほかにも、ハチやカブトムシの幼虫なども食べている。まして、動物園のアリクイには、エサとして肉や卵も食べる。

アリクイは、アリを主食とする動物ではあるが、アリしか食べられない動物ではないのだ。

イノシシの〝猪突猛進〟のスピードは？

最近、都会を走り回る〝アーバン・イノシシ〟の姿が目立つようになっている。そのスピードは、最速で１００メートルを7秒台で走り抜けるくらい。そうしたイノシシの走りっぷりを「猪突猛進」と呼ぶのだ。

ウサギは泳ぎが得意？　それとも苦手？

出雲神話の「因幡(いなば)の白兎」の物語では、ウサギは泳いで川を渡れないことから、サメをだまして、その背の上を次々と跳んで、向こう岸まで渡っていく。この話は、ウサギが泳げないことを前提としているわけだが、じつはウサギはかなりの泳ぎ上手。そもそも、動物は、少数の例外を除き、大半は生まれつき泳ぐことができる。

スカンクは自分のオナラの臭いにまいらないの？

スカンクのいわゆる〝おなら〟は、本当は気体ではなく、液体。スカンクは、肛門近くに分泌液を噴出する2つの腺を持ち、そこから敵に向かって液体を発射する。液体を噴きかけられた敵は、呼吸ができなくなり、目もかすんでしまう。それくらいの刺激物なのだ。

ところが、スカンク自身は、自分の分泌液の臭いにまいってしまうことはない。スカンクは風向きを計算して、風下に向けて分泌液を発射するのだ。

タヌキは本当に狸寝入りするか？

タヌキは本当に「狸寝入り」することがあるのだろうか？

実際にありうるのだが、それは「寝る」というよりも「失神」してしまうため。たとえば、タヌキは、猟師の放つ銃声を聞いただけで失神してしまうことがある。それで、猟師が近づくと、タヌキは目を覚まし、すたこら逃げていくことがあるのだ。そうした様子が、「狸寝入り」と呼ばれるようになった。

シカが樹木に角をこすりつける目的は？

オスジカは、夏を迎えると、樹木に角をこすりつけはじめる。これは、オスジカの角が春になると抜け落ち、生えかわることと関係している。

生えはじめの角の表面は、血管のあるやわらかな皮膚でおおわれている。その血流によって、栄養が角全体に行き渡り、角はぐんぐん伸びていくのだ。

ところが、夏場、角が伸びた後は、角表面の皮膚は必要がなくなる。それで、シカは角を木にこすりつけて、必要なくなった皮膚をこそぎ落としているのだ。

毛を刈られたヒツジは、風邪をひかないのか?

羊毛を採るため、ヒツジはバリカンで毛を刈られてしまう。ヒツジは毛を刈られた後、風邪をひいたりしないのだろうか?

むしろ、話は逆で、羊毛を取るために品種改良されたメリノー種は、毛が自然には抜け落ちない。そのため、人間の手によって毛を刈り落とさないと、体調を崩すことになるのだ。そもそも、ヒツジは、年に一回は毛が生え替わる動物。毛のあるなしで、体調を崩したりすることはない。

ブタの尻尾がくるくると丸まっているのは？

ブタの尻尾がくるくると丸まっているのは、人間が意図的に作りだした〝デザイン〟といえる。昔、尾が丸くないブタは、体が弱いと考えられ、安値で取引された。そこで、養豚家は、値段の下がる理由をなくすため、尾の丸まったブタ同士を交配させるようになった。そうして、尾の丸まった豚が数を増やすことになったのだ。

名前の通り、ヤマアラシは本当に山を荒らす？

ヤマアラシは、その名前の通り、山を荒しまくる。ヤマアラシは大変な大食漢で、おもに木の根を大量に食べてしまう。その被害は甚大で、一匹のヤマアラシが30本もの木を枯らしたこともあるくらいだ。

体に比べて、リスの尻尾が大きいのは？

リスは、体に比べると、大きな尾を持つ動物。あの大きな尾は、樹上生活の必需品といえる。

リスは、大きな尾で体のバランスをとっているので、枝から枝へと歩き回ったり、飛び回ったりすることができるのだ。むろん、大きな尾を枝に巻きつけ、体を安定させることもできる。

カバはスカスカの歯でうまく噛めるのか？

カバの歯はまばらに生えていて、大きな隙間が多数あいている。あの隙間だらけの歯で、カバは食物をちゃんと噛むことができているのだろうか？

カバの歯はたしかにスカスカだが、それは前歯に限ってのこと。カバの歯の数は一見少なそうにみえるが、じつは40本もあり、その大半は奥歯なのだ。しかも、奥歯は大きく頑丈で、カバはその奥歯で主食の草をしっかりすりつぶして食べている。

カバがいつもアクビばかりしているのは？

カバは大きな口を開け、頻繁にアクビをしている。睡眠不足というわけではなく、あのアクビは、カバの威嚇行為。カバは口を開けて、口中の大きな牙を見せることで、外敵に自分の強さを見せつけているのだ。

また、オスのカバのアクビは、メスへのアピールという側面もある。大きな牙を誇示することで、自分は強く健康なオスであると、メスを誘っているのだ。

ウマはどうして〝馬面〟なのか？

ウマがいわゆる〝馬面〟なのは、草を主食としているため。ウマが主食とするのは、イネ科の草であり、その多くは硬く、消化しにくいものだ。そこでウマは、草をなるべく細かく噛み砕くため、進化の過程で、臼歯は大きく発達させた。

むろん、大きな臼歯を口の中におさめるには、容積の大きな口が必要になる。そこで、ウマのアゴは長く伸び、顔も長くなったのだ。

ウマの目があんなに大きいのは？

ウマの目は、陸上に住む動物の中では最大級。彼らが大きな目をもつのは、周囲を警戒するためといえる。

野生馬は、大きな目で周囲を見渡して、周辺に敵がいないかをたえず警戒している。その視野は350度もあり、真後ろ以外は見渡すことができるのだ。自然淘汰と生存競争の歴史のなか、ウマという動物が絶滅しなかったのは、その大きな目のおかげだったといえるだろう。

ハリネズミは出産のとき、産道を傷つけない？

ハリネズミもハリモグラも哺乳類であり、母親のお腹から生まれてくる。すると、生み落とされるとき、産道など、母親の体を傷つけることはないのだろうか？

ハリネズミらの赤ん坊の針は、胎内では肌の下に埋もれている。つまり、ハリネズミなどは、普通のネズミやモグラのような姿で生まれてくるというわけだ。だから、胎内で移動しても、母体を傷つけることはないというわけだ。

腐った肉を食べるハイエナがお腹をこわさないのは？

ハイエナは、アフリカのサバンナに暮らし、野生動物の遺骸を主食としているが、遺骸を食べて、お腹をこわすことはないのだろうか？

まず、ハイエナが食べるのは、死んだばかりの動物や、ライオンなど猛獣の食べ残し。ハイエナはその嗅覚によって、遺骸や食べ残しのありかを嗅ぎつけ、動物が死ぬと、すぐにやってくるのだ。そして、ハイエナは臭いをかぎ、食べても大丈夫かどうかを判断してから、かぶりついている。

ラクダが口をいつもモグモグと動かしているのは？

ラクダは、いつも口をモグモグと動かしているが、これは反芻(はんすう)動物だから。ラクダは、第一の胃で微生物を使って、エサである草を柔らかく発酵させる。その後、再び口に戻して、唾液を使って噛み砕くのだ。

要するに、ラクダは、一度食べたものを再び口に戻して食べ直しているので、たえず口をモグモグ動かしているのだ。

赤ちゃんラクダにも、コブはあるのか？

ラクダの赤ちゃんにコブはない。母親からミルクをもらえる間は、脂肪を蓄える意味はなく、コブを背負う必要もないのだ。

ただし、赤ちゃんラクダの背中には、空の袋がついている。そして、ミルクをもらえなくなると、その袋にじょじょに脂肪が蓄えられ、やがてコブを背負うことになるのだ。

成長したラクダが砂漠を旅できるのも、そのコブに蓄えた脂肪のおかげだが、ではラクダは水分をどこから補給しているのだろうか？

こちらはあまり知られていないが、ラクダは胃を3つ持ち、そのひとつには水分が蓄えられているのだ。

マンモスの頭のコブには何が入っている？

絶滅したゾウの仲間、いわゆるマンモスは、頭がうず高く盛りあがっていた。その頭の中身は、ラクダのコブと同様のものだったと考えられている。マンモスはそのコブに油を蓄えておいたのだ。

マンモスが生きていたのは氷河期であり、餌には恵まれていなかった。そこで、マンモスは体内に栄養となる油を備蓄するシステムを備えることになったのだ。

サイは「火を見ると消しにくる」って本当？

「サイは火を消す」という言い伝えがあるのだが、本当だろうか？　サイが動物の中では珍しく、火を怖がらないことは本当の話。しかし、サイが火を踏み消すかどうかは、別の話である。

サイが興味をもって小さな焚き火に近づき、偶然、踏み消すことはあっても、サバンナ一帯に焼え広がったような場合には、サイもほかの動物と同じように逃げ出していく。

モグラが土の中にいても酸欠にならないのは？

モグラは、土の中で、なぜ酸欠にならないのだろうか？

モグラの行動範囲は、地下とはいえ、地表から数十センチまでのところ。地表近くは土の隙間から多くの空気が入ってくる。また、モグラは体のサイズからすると、肺活量が大きい動物。空気が多少薄いところでも生きていけるのだ。

アリジゴクはアリが取れないとき、どうする？

アリジゴクは、ウスバカゲロウの幼虫。成虫になるまでの2～3年の間、すり鉢状の巣穴にひそんで、巣穴に落ちてくるアリなどをエサにしている。すると、エサがかからないとき、アリジゴクはどうしているのだろうか？

エサがかからなくても、アリジゴクは、巣を出て獲物を探し回るようなことはしない。それでも、巣にじっと居座り、獲物が落ちてくるのをひたすら待ちつづけるのだ。そんなとき、アリジゴクは体内の酸素消費量を減らして、じっと飢えを耐え忍んでいる。

小さな虫が雨粒に弾き飛ばされずに飛べるのは？

ごく小さな虫でも、雨の中を飛ぶことができる。なぜ、雨粒に叩き落とされないのだろうか？

これは、虫が雨粒を感知するセンサーを身につけているからではない。小さな虫が雨粒を避けているように見えるのは、雨粒の圧力波によって、脇へはじかれているだけのことだ。雨粒は落下するさい、下向きに小さな圧力波を発生させる。その影響を先に受けることで、小さな虫は雨の直撃をまぬがれているのだ。

なお、ハエ叩きに小さな穴がたくさんの開いているのは、圧力波の発生をおさえるため。ハエ叩きに穴がなければ、大きな圧力波が生じてハエを吹き飛ばしてしまうので、叩くことができなくなってしまう。

アリはチョークで引いた線を越えられない⁉

アリの行列のそばに、チョークで太い線を描くと、アリはその線を越えられなくなる。これは、アリがチョークの主成分である炭酸カルシウムを嫌うためとみられている。

アリは行列をつくっているとき、道しるべ用に「蟻酸」という液体を分泌している。

アリは遠くまで出かけても、その蟻酸の匂いをたどって巣まで帰ってこられるのだ。

ところが、蟻酸は酸性なので、アルカリ性の炭酸カルシウムと混じると、中和されて匂いが消えてしまう。すると、アリは道しるべを見失って、巣に帰れなくなってしまうのだ。

そのため、アリは炭酸カルシウムを主成分とするチョークの線に近づくことを本能的に避け、〝一線を越えられなくなる〟というわけだ。

カエルが水中でも鳴くことができるのはなぜ？

人間は、空気（息）で声帯を震わせて、声を発している。そのため、空気を取り込むことができない水中では、声を出せない。

一方、カエルは水中でも鳴くことができる。カエルも人間と同じように、息で声帯を震わせて鳴いているのだが、その後が人間とは違うのだ。

人間は、声帯を震わせた息を大気中に吐いてしまうが、カエルはその空気を再び体内に戻し、「鳴嚢」と呼ばれる袋にためこんで、空気を再利用することができるのだ。だから、カエルは水中でも、鳴嚢から空気を取り出し、声帯を震わせることができる。

なぜカエルは決まって池の北側に上陸する？

春、温かくなると、カエルの季節になる。卵からオタマジャクシが孵化し、やがてオタマジャクシに脚が生えてくる。オタマジャクシに4本の脚が生えればカエルとなり、池のなかを離れ、陸地でも行動するようになる。

そのカエルの陸地への上陸は、かならずといっていいほど、池の北側周辺となる。南や東ではなく、北なのだ。

なぜ北側かといえば、そこにはカエルの上陸にとって、もっとも恵まれた条件がそろっているから。北といえば寒そうな感じがするが、じつは池の周辺ではいちばん温かい場所といえる。一般に太陽が南にあるとき、地表の温度、地上の気温がもっとも高くなるのは、池周辺では北側斜面なのだ。

池の南側が北側よりも温まりにくいのは、太陽光線の死角になりやすいから。南から太陽光線が注いだとき、南の陸地が邪魔になって、池の南側斜面には光が当たりにくい。一方、池の北側斜面の前にあるのは池の水だけである。太陽光線は池の水に映えながら北側斜面を温める。

北側斜面は温かいぶん、カエルにとっては住みやすい場所。温かければ、エサが多くなるからだ。そこで、カエルは池の北側に集まり、上陸するのも池の北側となるのだ。

また、カエルは、上陸時の記憶を覚えているようで、繁殖のために同じ池に戻るときには、かならず池の北側から戻るという。

カメが甲羅干しをする目的は？

カメはときどき陸上に上がり、いわゆる甲羅干しをする。亀がそうするのは、太陽光を浴びて紫外線を吸収、ビタミンDを体内で合成するためだ。亀はビタミンD不足に陥ると、カルシウムを吸収できなくなり、甲羅が柔らかくなってしまうのだ。

亀にとって甲羅が柔らかくなることは、命取りにつながる。水生菌というカビの一種が体内に侵入しやすくなり、命にかかわる事態を招くのだ。

ワニは、大きな鼻の穴に水が入らない？

ワニは、大きな鼻の穴を持っている。水中にもぐるとき、ぽっかり開いた鼻の穴から水が入ってくることはないのだろうか？

じつは、ワニの鼻の穴の中には、筋肉が変形した「弁」がある。ワニは、水中ではその弁を閉めて、水の侵入を防いでいるのだ。

どうしてヘビの舌先は二つに分かれている？

ヘビの舌には嗅覚器官が備わっていて、舌先が二つに割れているのは、より効率的に匂いをかぎとるため。舌先が二つに分かれていれば、空気にふれる表面積がより大きくなり、効率的に匂いの粒子を取り込めるというわけだ。そもそも、ヘビが口からチョロチョロと舌を出し入れするのも、より多くの匂いの粒子を取り込むためなのだ。

毒ヘビに2回目噛まれると、血清が効かない⁉

日本にはハブやマムシ、世界にはコブラやガラガラヘビに代表される毒ヘビがいる。ヘビの毒は、たんぱく質と酵素からなっていて、血管系統を損傷させる出血毒、筋肉を弛緩させる神経毒などがある。いまなお、熱帯地域では、毒ヘビによる死者が少なくないが、そのヘビの毒に対抗できるのが血清だ。毒ヘビにかまれても、すぐに血清を注射すれば、命は助かる。

その血清について「2回目は効かない」という話を聞くことがある。初めて毒ヘビにかまれたときには血清が効いても、次に噛まれたときは効かないというのだが、実際にはそんなことはない。

毒ヘビの血清は、同じ種類のヘビであるかぎり、2度噛まれた人にも、3度噛まれた人にも効く。血清は、ヘビ毒に対する抗体である。ハブやマムシの毒への血清は、ハブやマムシの毒を馬に少しずつ注射することによりつくる。馬は弱っていくが、そのうちハブ毒に対する抗体をつくる。いわば、免疫ができた状態になる。その免疫のできた馬の血中にある抗体から、人間に投与できる血清をつくるのだ。血清に抗体があるかぎり、何度噛まれても効くのだ。

「2回目は効かない」という話が生まれたのは、2回目の注射をしたとき、アレルギー反応を起こすケースがあるからだろう。それは、人間の体内に血清に対するアレルギー反応であって、毒に対してのものではない。アレルギー反応を起こしながらでも、毒に対しては効いているのだ。

トカゲの尻尾は何度でも再生可能か？

トカゲは、尻尾が切れても血が出ない。これは、尻尾が切れたあと、周辺の筋肉が急激に引き締まるため。それで、体の一部を失っても血を流すことはないのだ。

ご存じのように、その尻尾はしばらくすると再び生えてくる。ただし、トカゲが尻尾が再生できるのは、体が元気なうちだけ。年をとったり、体が弱くなっていると、尻尾は生えてはこない。尻尾がなくなると、異性から相手にされなくなり、交尾さえできなくなることが観察されている。

食べ物のない風呂場に、ゴキブリが現れるのは？

ゴキブリは風呂場にも現れるが、浴室にゴキブリのエサになるようなものはないように思える。ゴキブリは風呂場で何をしているのだろうか？

じつは、浴室はゴキブリにとってはエサの宝庫。ゴキブリにしてみると、人間の垢も水垢も石鹸カスもご馳走なのだ。むろん、トイレも同様で、さまざまな汚れを食べるため、ゴキブリはトイレにも出没するのだ。

カタツムリの殻は、どうやって大きくなっていく？

日本には、約800種類のカタツムリが生息している。その寿命は、1年から4年程度で、成長すると、当然ながら体が大きくなっていくが、そのとき殻が窮屈にならないのだろうか？

その心配はなく、カタツムリの殻は、体が成長するとともに、大きくなっていくのだ。カタツムリの殻はカルシウムの塊であり、人間が成長するにつれて骨が太くなっていくように、カタツムリの殻も大きくなっていくのだ。

ミンミンゼミのいる場所は東日本と西日本で違う⁉

ミンミンゼミは、関東地方では公園など、平地でもよく鳴いているセミだが、西日本では山間部でしか見かけないセミ。なぜ、東日本と西日本では、住む場所が違うのだろうか？

これは、クマゼミとの生存競争の厳しさのちがいによるものである。ミンミンゼミは、もともとは西日本でも平野にいたのだが、クマゼミが勢力を伸ばしてくると、山に押し上げられることになった。一方、東日本では、クマゼミの数が比較的少ないので、ミンミンゼミは今も平地で勢力を張っていられるというわけだ。

ただ、地球温暖化の進行とともに、温暖な気候を好むクマゼミが、じょじょに東日本にも進出してきている。やがて、関東地方のミンミンゼミも、平地から追い出される日がやってくるかもしれない。

女王バチと交尾したオスの悲劇とは？

交尾したカマキリのオスがメスに食われていくように、昆虫のオスには無残な最期を遂げるタイプがいる。ミツバチのオスも、その一つ。女王蜂と交尾できたオスには、〝爆死〟という無残な最期が待っているのだ。

ミツバチのオスは、交尾のみを目的として生きている。花の蜜などを採ってくる働きバチは、すべてメスのハチだ。オスバチは、巣のなかで育つ新たな女王蜂が、巣から出ていくのをひたすら待っている。

巣のなかで育った新たな女王蜂は、巣から飛び立つと、性フェロモンを振りまく。これに複数のオスバチが反応、女王蜂を追いかけはじめる。体力にすぐれたオスバチのみが、女王蜂との交尾に成功する。

交尾では、女王蜂の腹部先端にある指針室が開口、そこにオスバチが生殖器を入れ、精液を注ぎ込む。その瞬間、オスバチの内臓は破裂し、内臓を爆破された恰好のオスバチは絶命し、地表に落ちていく。

女王蜂は、こんな交尾を何匹かのオスと繰り返し、交尾したオスは、内臓を破裂させては、絶命していく。こうして、女王蜂の体内には多くの精液が溜め込まれ、その後、女王蜂は、それを小出しにしながら、産卵を繰り返す。

女王蜂と交尾できたオスの内臓がなぜ破裂してしまうのか、そこは謎のままであるが、交尾できなかったオスにも、無残な最期が待っている。生殖シーズンを終えたオスバチは、もはやハチ社会にとって用済みである。働きバチによって巣から追い出されてしまうのだ。

オスバチに捕食能力はなく、自分でエサを確保できない。そのため、オスバチは飢えた果て、野垂れ死にすることになるのだ。

ハエがツルツルのガラスの表面にとまれるのは？

ハエは、窓ガラスの表面のような、すべりやすいところにもとまることができる。それは、足の先端に「褥盤」と呼ばれる吸盤を備えているため。

褥盤からは粘着液が分泌され、ハエはその液を接着剤代わりに使って、窓ガラスなどにとまることができるのだ。ハエが天井に逆さまになってとまれるのも、この粘着液のおかげだ。

また、ハエは小林一茶の俳句にもあるように、〝手をすり足をする〟ものだが、それは手足の粘着力が衰えないように、その先端をきれいにしておくためだ。

「寿命がない生き物」の知られざる正体は？

生物の寿命には限りがある。どんなに科学が発達しようと、ヒトを含めて動物は老化し、やがて死を迎える。何百年、何千年と生きた古木も、やがては朽ち果てる。それは生物の宿命であり、自然の摂理でもあるが、その宿命、摂理から免れているといえそうな生物がいる。原生動物のアメーバである。

アメーバは、1個の細胞からなる単細胞生物であり、大型のオオアメーバでも、体長0・4〜0・6ミリ程度。アメーバは有性生殖もするが、多くは細胞分裂によって増殖する。細胞が二つに分かれることもあれば、より多くの個体に分裂することもある。

細胞分裂によって増えていくかぎり、アメーバの寿命は無限ともいえる。細胞分裂で、1体のアメーバが2体のアメーバとなったときは、どちらも同一の遺伝子をもち、もとのアメーバの分身といえる。その分裂したアメーバがさらに分裂して多くのアメーバとなったとき、それらももとの1体のアメーバの分身といえる。

アメーバは自分の分身を次々と増やしていけるので、分身が何体死のうと、別の分身がどこかで生きている。そこで、いま生きているアメーバは、大昔を生きたアメーバと同じと考えることもできる。

地球がアメーバの生存に適さないような環境にならないかぎり、アメーバには寿命がないということもできるのだ。

ミドリムシって、動物？　それとも植物？

生物は、動物と植物に大別されるが、見方によって、動物とも植物ともとれる生物が存在する。その代表格は、単細胞生物のミドリムシ。ミドリムシは自力で動くことができるので、一応は「原生動物・鞭毛虫類（べんもうちゅうるい）」という動物に分類されているが、別の見方をすると、植物的な面も合わせもっているのだ。

植物の基本条件は、「細胞内の葉緑素によって、光合成を行うこと」。その点からみると、ミドリムシは葉緑素をもち、光合成を行っている。この点では植物的なのだ。

ただし、ミドリムシは、光の当たらない環境に置かれると、葉緑素を失い、光合成以外の方法で栄養を取りはじめる。そうなると、植物の定義からはずれてしまう。

チョウは本物の花と造花を区別できるか?

チョウは、嗅覚ではなく、視覚にたよって花を探している。そのため、チョウは、匂いを放たない造花にも近づき、とまることがある。

ただし、チョウはとまった瞬間、それがニセモノであることに気づく。チョウの脚は敏感で、すこし触れただけで、ホンモノの花かどうかを区別できるのだ。

ウグイスは本当に梅にとまるのか?

「梅に鶯(うぐいす)」という言葉があるくらいだが、ウグイスはふだんは竹やぶなどに住み、梅の木にはあまりとまらない。梅の木に集まってくるのは、ウグイスによく似たメジロだ。メジロは、ウグイスと同じくらいの大きさの鳥で、羽毛はウグイス以上に鶯色をしている。「梅に鶯」という言葉は、梅の木にとまるメジロをウグイスとカンちがいしたところから、生まれた言葉のようだ。

トンビがクルリと輪をかくのは？

トンビが飛んでいる姿を見ていると、トンビがほとんど羽ばたかずに飛んでいることに気づく。羽ばたかずに飛べるのは、トンビが上昇気流をうまく利用して、空中に浮かんでいるからだ。

ただし、上昇気流が生じるエリアは限られているので、まっすぐ飛んでいくと、やがて上昇気流の発生圏内から飛び出してしまう。

そこで、トンビは上昇気流が生じている圏内に止まるため、クルリと輪をかくように旋回し続けるのだ。そして、上空から地上のエサに対して目を光らせている。

ツバメが木の枝にはとまらないのは？

鳥は、木の枝にとまりながら眠っても、木から落ちるようなことはない。それは、木の枝にとまると、足の指が自然に枝を握りしめるような構造になっているからだ。

ところが、ツバメは電線にはとまっているものの、木の枝にとまっている姿を目にすることはまずない。それは、ツバメが野鳥の中では珍しく木の枝にとまることを苦手とするからだ。

ツバメは、足の指がひじょうに小さく、電線程度の太さのものまでしか、しっかりとつかめないのだ。そのため、木の周辺に巣を作ることも少なく、人家の軒下などに巣を作り、その分、人間にとって身近な鳥となってきたのだ。

渡り鳥はどうやって渡る時期を知る？

渡り鳥は、渡る時期が近づいてくると、体重が一気に増えはじめる。長く飛ぶ旅に耐えるため、脂肪を蓄えるのだ。丸々と太った渡り鳥を見かけたら、渡りが近いとみて間違いない。

渡り鳥が、太りはじめるのは、体内のホルモンバランスが変化するため。だから、渡り鳥は、自らの体内のホルモン量の変化によって、渡る時期を知るといってもいいだろう。

ダチョウのタマゴは、暑さでいたまないのか？

ダチョウのメスは、交尾後、2日に1個程度のペースで、1ダースほどのタマゴを産むが、そのダチョウの生息地域は、日中の気温が40度を超えるような場所。普通なら、タマゴがいたんでしまうほどの高温地域だ。そこで、ダチョウのメスは、タマゴを温めるのではなく、体で日陰を作って、むしろタマゴを熱気から守り、温度を下げようとする。そうして、タマゴが暑さでいたむのを防いでいるのだ。

伝書バトが30%も帰ってこなくなっているのは?

伝書バトは、1000キロ以上離れたところからでも、巣に戻ることができるといわれてきた。ところが近年、伝書バトの帰還率が激減している。たとえば、現在は、300キロのレースでも、3割のハトが帰って来ない。

これをめぐっては、携帯電話の電磁波の影響で、帰巣能力が変調をきたすためという説がある。あるいは、飼育家のレベルが落ちたためともいわれている。

また、タカやハヤブサに襲われる機会が増えたという指摘もある。近年、大型の猛禽類の保護がすすんでいるため、レース中、猛禽類に食べられたり、襲われた結果、パニックになって方向がわからなくなる伝書バトが増えているというわけだ。

コウモリは何のために逆さまにぶら下がる?

コウモリは、空を飛ぶため、哺乳類としては、体を限界近くまで軽量化している。肉と呼べる部分がほとんどないうえ、体と腕の間は膜状、骨の中は空洞になっている。そのため、コウモリは地上に立って自分の体を支えることができないのだ。

そこで、コウモリは飛ばないときは、逆さまにぶら下がるという道を選んだ。あの姿勢は、コウモリにとっては、普通に立つよりも、よほど楽な姿勢というわけだ。

哺乳類のイルカが〝潜水病〟にならないのは?

イルカは、私たち人間と同様、肺呼吸をしている。ところが、イルカは急に海深くまで潜り、急に浮上しても、人間のように潜水病になることはない。なぜだろうか？

これは、イルカが人間とは違って、潜水時に血管中に空気を取りこまないため。いわゆる潜水病は、急激な水圧変化によって、血管中に気泡が生じる現象のことだが、イルカは潜水中、血管に空気を取り込まないので、潜水病とは無縁なのだ。

マッコウクジラの頭の中には何が詰まっている？

マッコウクジラの頭の中には、体重の10％、約4トンもの「脳油」が詰まっている。彼らは、その「脳油」を使って、深く潜水するのだ。

潜水するときは、鼻から冷たい海水を取りこみ、脳油を冷やして固め、体積を小さくする。すると、脳油の比重が水以上になり、それを重りにして潜ることができるのだ。

逆に、浮き上がるときは、血液の流れを活発にして、脳油を温めて溶かし、比重を軽くする。それによって浮き上がることができるというわけだ。

人食いザメの数がそれほど増えないのは？

ときおり、海水浴場の近くにサメが出たといったニュースが流れる。ところが、その人食いザメ、現実にはさほど増えていない。

人食いザメの数が増えないのは、そもそもサメが人を捕食対象にはしていないからだ。サメというとガブリと噛みつくイメージが強いが、本当は噛み砕いて食べるのではなく、獲物を丸飲みにする。ところが、人間は、サメにとって丸飲みするには、サイズが大きすぎる生物なので、サメは人間をエサとは見なしてはいないのだ。

だから、サメは、よほど腹をすかせていないかぎり、人間を食べないと考えていい。サメが好んで海水浴場を襲うことはないし、人食いザメの数も増えないというのもそのためだ。

サメが人を襲うのは、捕食のためというよりも、闘争心を刺激されたときという指摘もある。彼らが人間に対して丸飲みという捕食行動ではなく、噛むという攻撃的な行動をとるのも、そのためだという。

代表的な〝人食いザメ〟であるホオジロザメやイタチザメの場合、凶暴な性質で、近くにいる生物を攻撃の対象とすぐに見なしてしまう。それ以外の人食いザメ、シュモクザメ（ハンマーヘッドシャーク）やアオザメの場合も、人間の行動が彼らを刺激したことが襲撃の原因になっていることが少なくない。

ただ、人間には学習能力があるので、そのような人食いザメの生態や行動を知れば、サメに対する行動を注意するようになる。そのことも、サメによる被害が増えない理由といえる。

ペンギンが首を左右に振り続けるのは？

ペンギンの特徴的な行動として、首を左右に振りつづけることがあるが、その目的は塩分を排出することにある。

ペンギンが主食としているのは、海にすむ魚や甲殻類。加えて、海水を飲むので、どうしても塩分の取りすぎになってしまう。そこで、ペンギンは首を左右に振って、塩類腺と呼ばれる腺から、塩分を排出しているのだ。

アワビの貝殻に穴が多数開いているのは？

アワビの貝殻には、小さな穴が数多く開いている。あの穴はアワビの〝呼吸器官〟といえ、アワビはあの穴を使って息をしているのだ。

岩壁に張りついて生きているアワビにとって、〝背中側〟に穴が開いていることが、空気を最もとりこみやすい方法なのだ。

タラバガニが「カニの仲間ではない」って本当？

タラバガニは、マツバガニやケガニとともに、日本を代表する三大ガニの一つ。とくに、タラバガニは、他のカニに比べて体が大きいぶん、身もたっぷりついている。殻の内側を箸でこそげて、身を出す手間も要らない。ストレスなく食べられるカニともいえるが、じつはタラバガニはカニの仲間ではない。

たしかに、タラバガニは、カニの形をしている。英名もキング・クラブとカニの仲間扱いされている。けれども、細部まで見ていくと、分類学的にはヤドカリの仲間に入るのだ。

タラバガニやマツバガニ、ケガニが属しているのは、節足動物門甲殻綱十脚目であり、マツバガニやケガニは、そのなかの短尾類に分類されている。一方、タラバガニやヤドカリは異尾類に属する。エビは長尾類だ。

ここでいう尾とは、腹のことである。なるほど、エビの腹部は長いし、カニの腹にあたる部分は短い。タラバガニやヤドカリの場合、カニの腹とは少し違う。左右対称ではなく、右側にねじり込んだ恰好になっている。

また、第2触角の長さが違う。ふつうのカニが短いのに対して、タラバガニやヤドカリ類は長くなっている。

タラバガニによく似たカニにハナサキガニがいるが、これもまたカニではなく、ヤドカリの仲間になる。

デンキウナギはデンキウナギに感電するか?

アマゾンに住むデンキウナギの放電量は、最大で600ボルト以上になる。デンキウナギは、その電気によって、小魚やカエルなどを感電させて捕食している。ところが、デンキウナギ同士が感電し合うことはない。デンキウナギの体は、自分で発電するくらいだから、電気に強い構造になっているのだ。

そのデンキウナギは長時間発電することはできない。刺激を与えて発電させると、すぐに疲れ果てて、〝停電〟状態に陥ってしまう。だから、アマゾンの先住民たちは、この性質を利用して、デンキウナギを捕まえている。川を小枝で叩き、デンキウナギを興奮させて、発電させ、疲れ果てて、〝電力〟を失ったところを捕えるのだ。

「弱った金魚は塩水に入れると元気になる」って本当？

弱った金魚は薄い食塩水につけるという治療法がある。そうすると、たしかに一時的に元気になるのだ。金魚にかぎらず、生物の血液や体液の成分は、海水のそれとよく似ている。人間も、手術後や体の弱ったときに、生理食塩水を点滴することがあるが、金魚もそれと同様に、塩水につけると、一時的には体力を取り戻すのだ。

ただし、本当に病気の場合は、塩水につけたところで、その病気が治るわけではないので、またしばらくすると弱ってしまう。

冷たい海にいる魚を暖かい海に放流するとどうなる？

魚は、自力では体温を調節できない変温動物。だから、何かの異変で水温が急激に変化すると、体温が大きく変化し、体調を崩す魚が増えてくる。体内の代謝が悪くなり、食欲を失い、動きが鈍くなるといった〝症状〟が現れるのだ。

だから、南極や北極などの冷たい海にすむ魚を、南国の暖かい海に放流すると、急激な温度変化に対応できずに弱り、やがては死んでしまうことになる。

魚の群れにボスはいるか？

魚が群れをつくるのは、身を守るため、本能的に周辺の仲間と同じ行動をとっているうち、しぜんに群れが成立すると考えられている。だから、魚の群れは、哺乳類の群れと違って、ボスはいない。ベテランの魚が、群れを統率するというようなことはないのだ。

それでも、魚の群れが統制のとれた動きができるのは、魚がすぐれた感覚器官と反射神経を備えているからといえる。魚は、仲間の動きをするどく感知し、近くを泳ぐ魚との距離を瞬時にはかりながら、泳ぎ続けている。だから、どんなに密集した群れでも、魚同士がぶつかり合うようなシーンはまず見かけない。

タコがタコ壺に入りたがるのは？

タコ壺漁では、多数のタコ壺を海中に沈めておき、タコが中に入った頃合いを見計らって、壺を引き上げ、捕まえる。なぜ、タコはタコ壺のような狭いところに、自ら入ってくるのだろうか？

これは、タコが夜行性の生き物であることと関係している。タコは日中、明るい場所にいると落ちつかない。それで、身を隠そうとして壺の中へ入ってくるというわけだ。

ワカサギが氷の下でも生きていけるのは？

真冬の風物詩、ワカサギ釣りでは、釣り人は湖に張った氷に穴をあけ、そこから釣り糸を垂らしてワカサギを釣り上げる。

その時期、他の魚は、湖底でじっとしていて、エサ食いは悪く、ほとんど釣れない。ところが、ワカサギだけはエサ食いが活発で、どんどん釣れるのだ。

これは、ワカサギが寒さに強い魚だから。ワカサギはもともと、ベーリング海や北海道周辺の冷たい海の〝出身〟で、それが湖に閉じ込められた魚なのだ。だから、氷の下でも活発に動けるというわけだ。

また、氷の下の水は、氷ほどには冷たくない。水温が摂氏4度以下になると、水面と水中との対流が起きなくなり、水面だけが冷え、凍りつく。そして表面の氷がどんなに厚くなっても、水中は4度以上はあり、ワカサギはその温度であれば、元気に生きていけるというわけだ。

アユが日本の川にだけ多いのは？

アユは、外国の川にはほとんどいない。その理由は、アユが好むような河川環境が、ほぼ日本にしかないからである。

アユは、原則として、川で生まれて海で育つ魚であり、海で成長した後、再び川に戻ってくる。だから、海と川を行き来できるエリアでなければ、アユは暮らせない。

また、アユは川では川底につく珪藻（けいそう）という藻をエサにしている。この珪藻がつくのは急流の川底であり、またその生長には一定以上の水温が必要だ。急流であり、しかもある程度水温が高いという条件を備えた川は、日本列島以外にはほとんど見当たらないのだ。

7

学校では教えてくれない植物と自然の新常識

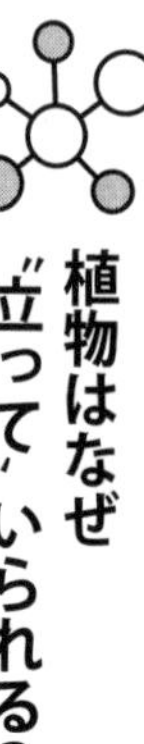

植物はなぜ〝立って〟いられる？

植物がずっと〝立って〟いられる秘密は、その細胞壁にある。

植物の細胞は、動物とは違って、固い細胞壁に覆われている。しかも、細胞内には水分が詰まっていて、内から細胞壁を支える構造になっている。

細胞壁に外から圧力がかかったときには、細胞内の水分が圧力を押し返す働きをするのだ。

植物は、そんな構造の細胞壁の集合体であり、大木は細胞壁を無数に積み上げることによって、何十年も何百年もの間、大地にすっくと立っていられるのだ。

最も種類が多いのは何科の植物？

地球上には約30万種の植物が存在するが、そのうち約2万5000種はラン科の植物。地球上の植物種の一割弱はラン科というわけだ。

ランの種類が多いのは、北極、南極周辺を除いて、地球上のほとんどの地域に分布しているから。

とりわけ、熱帯地方では多種多様なランの仲間が繁栄している。ランは、地域の環境に合わせて進化する能力が高く、どんどん変化しながら、種類を増やしてきたのだ。

植物はなぜ緑色をしている？

植物の大半は、緑色をしている。その、そもそもの理由は、水中植物の藻類のうち、緑藻類が上陸を果たしたから。藻類には、ほかに紅藻類、褐藻類があるが、たまたま浅い海にいた緑藻類が上陸し、地上で繁栄することになったのだった。

緑藻類も、もとは海の深いところにいたのだが、深海では光合成をうまくできなくなり、太陽光線の届きやすい海の浅いところに進出した。やがて、緑藻類は陸に上がり、その子孫が陸上で繁栄する。緑藻類の緑色は、陸上の子孫にも受け継がれ、森や山を緑に染めることになったのだ。

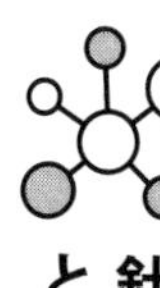

針葉樹の先がとがっているのは？

スギやモミの木などの針葉樹は、木の先端がとがった形をしている。

具体的には、一本の枝が天に向かって垂直に伸びて、木の頂に2本以上の枝が共存することはないのだ。

これは、頂に伸びた1本の枝が、他の枝

の生長を許さないから。てっぺんの枝は特殊なホルモンを発して、他の枝が垂直に伸びることを阻害するのだ。そのため、他の枝は、斜め方向に伸びざるをえなくなる。

こうしたメカニズムが働くため、針葉樹の多くはクリスマスツリーのような、鋭角三角形のシルエットを描くことになるというわけ。

花の色はどうやって決まるのか？

花の色は、花びらに含まれている色素によって決まるが、その色素はじつは2系統しかない。

ひとつは、アントシアンという赤や青、紫などの色素で、もうひとつは、カロチロイドという黄やオレンジ色などの色素である。

それなのに、いろいろな色の花が咲くのは、土壌との関係で、色素の性格が微妙に変化するため。

たとえば、同じアントシアンを含んでいても、アントシアンは酸性土壌では赤くなり、アルカリ性や中性では青や紫になる。さらに、土壌の酸性度やアルカリ性度の強弱によって、赤や青の中間色も出るので、花の色は変化に富むことになるのだ。

熱帯の植物に赤い花が多いのは？

熱帯植物には、赤い花をつけるものが多い。それは、虫には、赤があまり人気のないことが関係している。つまり、熱帯の赤い花を咲かせる植物は、虫に花粉を運んでもらおうとはしていないのである。

では、何に期待しているかというと、鳥である。多くの虫は赤色を識別できないが、鳥類は赤を識別でき、しかも好む。小さな昆虫に花粉を運んでもらうよりも、より大きな鳥類に運んでもらうほうが、受精の可能性は高くなるので、熱帯の植物は赤い花を咲かせて、鳥をひきつけるという繁殖戦略をとっているのだ。

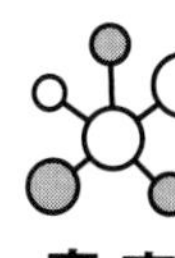

高山植物はどうやって寒さに耐えている？

温暖な地域の植物は、氷点下の気温が続くと、細胞内の水分が凍ってしまい、やがては〝凍死〟することになる。ところが、高山植物は、氷点下の日が続く標高の高いエリアでも生きていくことができる。

高山植物が〝凍死〟しないのは、細胞内の塩類を多くすることによって、水分が凍りにくいように防御しているから。

また、高山植物には、茎や葉が毛で覆わ

れているものもある。いわば、毛皮のコートを着こんで寒さを防いでいるというわけだ。

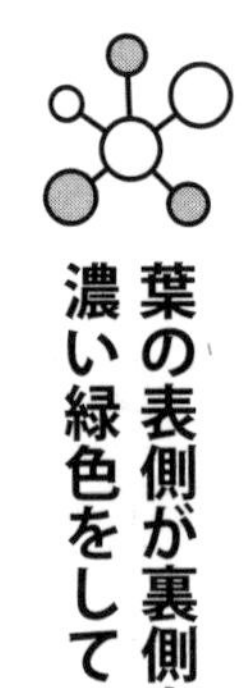

葉の表側が裏側より濃い緑色をしているのは？

植物の葉は、同じ1枚の葉でも表と裏では色が異なり、おおむね表のほうが色が濃く、裏側は薄いグリーンをしているもの。なぜだろうか？

葉が緑色に見えるのは、「葉緑素」という緑色の色素を含んでいるためだが、葉の表と裏では葉緑素の含有量が異なる。そのため、色が違ってくるのだ。

詳しくいうと、葉の表側には「柵状組織」と呼ばれる細胞が規則正しく並び、葉緑素をたっぷり含んでいる。一方、裏側は「海綿状組織」と呼ばれる海綿のようなスカスカの細胞が不規則に並んでいて葉緑素の含有量は少ない。そのため、葉は表側は色が濃く、裏側は色が薄くなるというわけだ。

植物はどうやって〝近親婚〟を回避している？

植物も動物同様、〝近親婚〟を避けている。そうならないようなシステムを備えているのだ。

植物が花を咲かせると、虫や鳥、風などによって花粉が雌しべの柱頭に運ばれ、受粉に至る。もっとも受粉しやすいのは、同一の花の中にある雄しべと雌しべだが、それでは人間でいう近親婚になってしまう。そこで、多くの植物は自家受粉を避け、他家受粉を行うためのメカニズムを備えている。

たとえば、花粉をより遠くに飛ばし、違う株の花の雌しべに付着しやすくするようなシステムだ。あるいは、同じの花の中で受粉が起きても受精には至らない植物もあるし、同一の花の中では雄しべと雌しべの生長期がずれている植物もある。

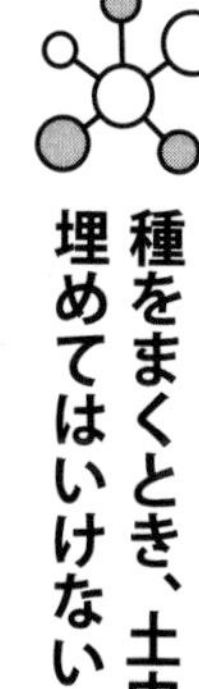

種をまくとき、土中深く埋めてはいけないのは？

植物の種をまくときは、土中深く埋めるのではなく、土の表面にパラパラとまき、軽く土をかぶせるくらいにするもの。おおむね、種にかぶせる土量は、種の直径の2〜5倍を目安にするといいといわれる。

種を浅く埋めるのは、土の深いところは酸素が乏しいので、深く埋めると、種が呼吸困難に陥り、芽を出せなくなるからである。

そもそも、種をまく前に土を耕すのも、土壌中に十分な空気を送り込むため。また、種まきの後、雨が続くと発芽しにくくなるのも、長雨によって土壌中が酸素不足になるから。というように、種の発芽をめぐっては、土壌中の酸素量が大きなファクターになるわけである。

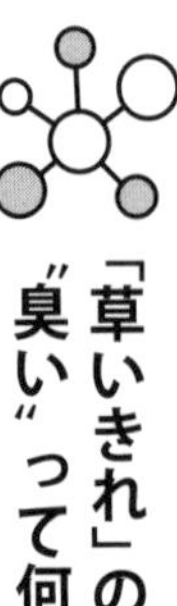

「草いきれ」の"臭い"って何？

草むらに近づくと、青臭い臭いが鼻をつくことがある。いわゆる「草いきれ」だ。あの臭いはいったい何の臭いなのだろうか？

草いきれは、植物が自己防衛のために発する臭気といえる。臭いの主成分は、不飽和脂肪酸のαリノレン酸とリノール酸。双方とも植物がつくる不飽和脂肪酸で、春から夏にかけて気温が高くなると、多量につくられるようになる。その臭いには殺菌力があり、植物はその臭いによって害虫から身を守っているのだ。

田んぼの水が土の中にしみこんでなくならないのは？

稲は、水田に水をはって育てるが、水田の底はプールのようにコンクリートで覆われているわけではない。ただの土の底なのに、なぜ水は土中にしみ込まず、水田は長く水をたたえていることができるのだろうか？

これは、田んぼの底（深さ30センチくらい）に、固い粘土状の層があり、水はけがひじょうに悪くなっているから。しかも、田んぼでは、毎年、農作業を続けているので、土壌は固く踏み固められ、粘土層は年々強固になっている。なお、稲を植えるのは、その粘土層に上にある耕して、やわらかくした土壌部分である。

また、農家では、稲刈りのあと、田んぼの水を抜くと、その底を入念に点検している。水漏れを防ぐため、粘土層にひび割れなどをみつけると、補修して、翌年の米作りに備えるのだ。

樹木も〝体調〟が悪くなると熱が出るか？

樹木も人間と同様、〝体調〟が悪くなると熱を出すことがある。これは本当の話で、東京都林業試験場の赤外線画像装置を使った調査によっても明らかになっている。都内のスギ林のうち、虫食いにあったり、先枯れしていたところは温度が高くなっていることがわかったのだ。

樹木は光合成をするために、多量の酵素を必要とするが、酵素はたんぱく質の一種であり、熱に弱い。そこで、樹木は水蒸気を発散して、その蒸発熱によって、葉などの温度を下げている。

ところが、虫に食われるなどのストレスがかかると、その調節がうまくいかなくなり、その部分の〝体温〟が上がっていくというわけだ。

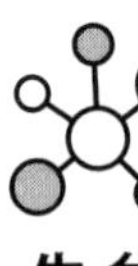

盆栽の松が鉢の中で生きつづけられるのは？

松は大きく育つ木だが、なぜ盆栽としては、鉢の中におさまっていられるのだろうか？

それは、さまざまな工夫が施されているから、としかいいようがない。まず、盆栽の土には養分が多く、通気性のよいものが用いられている。加えて、適切な量の肥料が与えられている。

また、十分な通気性を保つため、何年かに一度は、土が取り替えられている。その取り替えのさい、根の養生が行われる。弱っている根を切り取り、新しい根が出やすい状態にするのだ。

そうした懇切な手当てによって、松は鉢植えの中でも生き続けることができるのだ。

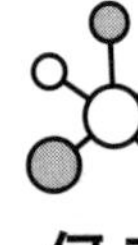

マツヤニは何のために出る？

マツが樹皮からマツヤニを出すのは、害

虫をはじめとする天敵対策のため。マツは分厚い樹皮をもち、それによって幹を守っているが、樹皮が破れると、そこから害虫が入ってきやすくなる。また、水分も蒸発しやすくなり、枯死の原因になる。そこで、マツは樹皮が損傷を受けたとき、ヤニを出して〝補修〟しているのだ。

ヤニは、ふだんは幹の細胞内に溜められていて、樹皮が傷つくと、すぐに分泌しはじめる。

マツヤニには微生物を殺す働きもあり、その駆除にも役立っている。また、マツヤニは粘り気が強いため、その粘り気にからめとられて、死んでいく虫もいる。

サクラの木にアリがよく登るのは？

サクラの木には、花の咲く季節以外も、アリがよく登っているもの。花がなくても、アリが登り続けるのは、葉の蜜に誘われてのこと。サクラの葉の付け根の葉柄には、丸い粒のような蜜腺があり、そこから蜜が分泌されているのだ。

サクラが蜜を出してアリをさそうのは、ケムシ対策のためである。サクラにはケムシがつきやすく、無防備なままだと、ケムシに葉を食べられて、弱ってしまう。そこで、季節を問わず、葉から蜜を出して、〝ボディガード役〟にアリを招き寄せているのだ。ケムシはアリを苦手とし、アリが葉の周辺にいると、近寄らなくなるのだ。

ギンナンの実はなぜ臭い？

晩秋、美しく黄葉するイチョウ並木だが、その難点は路上に落ちたギンナンが、悪臭を発すること。ギンナンはイチョウの種であり、その種皮に含まれる二つの物質が臭いを発するのだ。

そのひとつは酪酸で、これは人間の足の臭いの原因にもなる物質だ。もうひとつは、エナント酸（ヘプタン酸とも呼ばれる）で、これも腐ったような臭いを放つ物質。その混じり合った臭いが、あのギンナン臭なのである。

なぜ、ギンナンがあのような臭いを放つか、それをめぐっては近年、次のような仮説が唱えられている。「恐竜」が好む臭いだったというのだ。

イチョウの先祖は、約2億5000万年前に現れ、恐竜が大地を闊歩していたジュラ紀や白亜紀に世界中に広まった。そこで、ギンナンは、その臭いによって恐竜を引きつけて食べられ、その糞に混じることで広がるという繁殖戦略をとったというのだ。

確かに、恐竜の糞の化石からは、ギンナン

が発見されている。

野生のエノキダケは白くないって、本当？

野生のエノキダケは、傘の部分が栗色で、柄の部分は褐色。スーパーに並んでいる〝全身真っ白〟の白エノキダケは、人工的に栽培されたものだ。

白くするための品種改良は、１９５０年代から始まったのだが、なかなか茎のつけ根を白くできなかった。純白キノコが生まれたのは、60年代に入ってからのこと。すべて真っ白に育つ新品種が開発され、現在に至っている。

オジギソウはなぜお辞儀をする？

オジギソウにかるく指を触れると、葉が閉じて、お辞儀をするように垂れ下がる。なぜ、そんな動きをするのだろうか？

オジギソウの葉柄（葉と茎をつなぐ部位）のつけ根には、「葉沈」と呼ばれる部位がある。

オジギソウの葉沈は特殊な細胞で構成され、細胞内の水分量によって膨らんだり縮んだりする。

そのため、葉に指で触れたりして刺激を与えると、細胞内の水が外へ出て細胞が縮む。すると、お辞儀をするように垂れ下がるというわけだ。

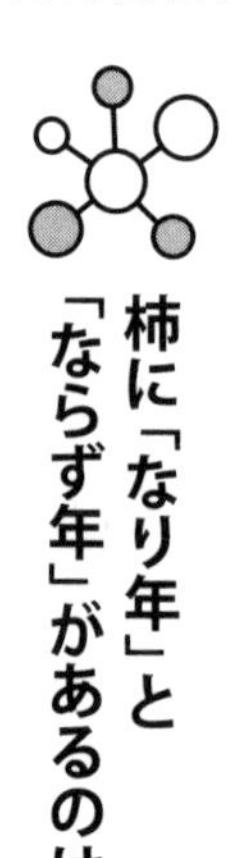

柿に「なり年」と「ならず年」があるのは？

柿には、実をよくつける「なり年」と、実があまりならない「ならず年」がある。ただ、この隔年現象はすべての木で起きるわけではなく、若い木にはない現象。樹齢15～16年くらいの頃から始まり、老木になるほど、その〝症状〟が顕著になる。

これは、年をとると、柿も人間同様、回復力が衰えるから。高齢の柿の木は、〝なり年〟に実を多数つけると、〝体力〟を失い、回復が遅いため、翌年は実りが悪くなるのだ。年をとるほど、回復に時間がかかるようになり、老木ほど、「なり年」と「ならず年」の収穫量の差が大きくなるというわけだ。

枯れても葉が落ちないカシワの謎とは？

落葉樹の多くは、冬になると葉を落とすが、カシワなどコナラ属の樹木は、枯れて茶色くなった葉を枝につけたまま、冬を越す。なぜだろうか？

秋になると、落葉樹の葉のつけ根には「離層」という組織がつくられる。離層は葉を落とすための部位で、時期がくると、葉には水分も養分も届かなくなって老化がすすみ、やがて葉は落ちることになる。

　ところが、カシワの場合は、落葉樹の一種ではあるのだが、離層が形成されにくい。すると、カシワの葉は茶色く枯れても、そのつけ根が生きているため、枯れ葉が枝についたままになって残りつづけるというわけだ。

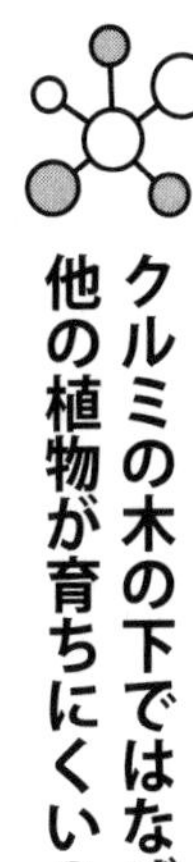

クルミの木の下ではなぜ他の植物が育ちにくい？

　クルミは、自ら生み出す物質によって、他の植物の生長を阻害する。


　クルミの樹皮や葉から分泌した成分が水に溶け、土中でユグロンという物質になる。このユグロンが、他の植物の生長を邪魔するのだ。こういった現象をアレパロシー（他感作用）という。

　アレパロシーを引き起こす植物は他にもあり、たとえばレモンユーカリは葉から揮発性の化合物を出して他の植物の生長を邪魔する。セイタカアワダチソウは、根から出す物質で他の植物に害を与える。

ハチも寄り付かないほどクロユリが臭いのは？

　ユリの仲間は、おおむね強い匂いを放つ

ものだが、なかでもクロユリは鼻をつまみたくなるような悪臭を放つ。そのため、匂いにつられてやってくる虫は、たいていはハエである。

クロユリが悪臭を放つのは、花が黒いため、自然界では目立たないためとみられている。

植物（花）は虫がやってこないと、受精のチャンスが乏しくなる。

クロユリは、ハチなどを花の色で誘うという通常の戦略ではなく、悪臭によってハエを集めるという珍しい戦略をとった植物なのだ。

コスモスはなぜ秋に咲くのか？

コスモスは、漢字で「秋桜」と書くくらいで、秋に咲く花。秋に咲くのは、日照時間が短くなると、開花ホルモンが分泌する「短日性植物」だからである。

コスモスに限らず、植物に花開かせるのは、開花ホルモンという物質。コスモスの場合、太陽光を浴びる時間が一日に10時間を切ると、開花ホルモンが分泌しはじめるのだ。つまり、秋になって日照時間が短くなると、コスモスは開花するのである。

サボテンにはなぜトゲがある？

サボテン類の共通点は、トゲを持つこと。そのトゲは、葉が変化したものである。

植物が根から吸い上げた水分は、葉から蒸発していくが、乾燥地帯で育つサボテンには、葉からの蒸発をなるべく防ぐ必要がある。

そこで、サボテンは、葉を小さな針状のトゲに変化されたのだ。葉の表面積を小さくし、蒸発する水分を少なくおさえられるように進化してきたというわけである。

サルスベリの幹がツルツルしているのは？

サルスベリは、幹の表面がツルツルしていることから、サルでもうまく登れないだろうということで、付いた名。それにしても、なぜツルツルしているのだろうか？

普通の樹木は、生長して幹が太くなると、幹の表面の樹皮が裂け、隙間ができていく。その隙間周辺の樹皮から、少しずつ剥がれ、新しい樹皮で覆われる。そうした樹皮の生成がバラバラに起きるため、幹の表面がデコボコになる。

ところが、サルスベリは生長すると、樹

皮の広い部分がいっせいに落ち、新しい樹皮が生えてくる。そのため、サルスベリの幹の表面にはデコボコが生じないのだ。

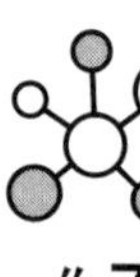

スズランは実は〝毒草〟というが…？

小さな鈴のような花をつけるスズラン。その可愛らしさから、世界的に人気の花だ。ところが、そんなスズランは毒草でもある。とくに、根に毒素をたっぷり含み、スズランを活けた水を誤飲した人が死亡したというケースもあるくらいだ。

また、花にも毒があり、誤って食べると、吐き気、頭痛、視覚障害、血圧低下などの症状が現れる。可憐な姿からはイメージしにくいが、スズランは取り扱い注意の植物なのである。

どうしてタケは急成長できる？

タケには、1日に約120センチも伸びるという種類もある。タケの仲間が急成長する理由は、大きく分けて二つある。

第一は、生長点を多数持つこと。普通の植物は、先端部にひとつだけ、生長点を持つが、タケは各節に生長点を持ち、それらが一斉に同時多発的に伸びていくのだ。

もうひとつ、タケは、親竹が地中に張り

めぐらせた地下茎の節から伸びはじめるのだが、親竹が栄養をたっぷりと蓄えているため、芽生えたタケ（要するに、タケノコ）には、たえず栄養が供給され続けるのだ。

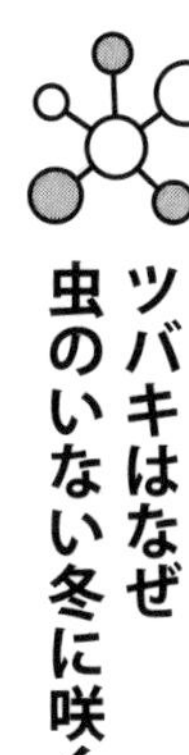

ツバキはなぜ虫のいない冬に咲く？

冬に咲く花が少ないのは、花粉を運んでくれる虫の数が少ないため。冬に花を咲かせても、虫がいなければ、子孫を効率よく残せないというわけだ。

ところが、ツバキはあえてそんな悪条件の冬場に花を咲かせる。これは、ツバキが野鳥に花粉を運んでもらうという戦略をとったためである。

冬場、ツバキの花が開くと、メジロなどの小型の野鳥が花の中に頭を突っ込み、蜜を吸っていく。その頭部に花粉をつけた野鳥が他のツバキで同じような行動をとると、受粉成功というわけである。

結局、バラのトゲは何のためにある？

バラにトゲがあるのは、一言でいえば、天敵から身を守るため。バラにしてみれば、せっかく発芽し、光合成をして栄養をたくわえているのに、動物にパクパク食われてはたまらない。そこで、動物が安易に近寄れないように鋭いトゲで体を覆っているのである。

むろん、これはバラに限った話ではなく、アザミやヒイラギなど、幹や葉などをトゲトゲにして〝武装〟している植物は少なくない。

ホオズキの「袋」は、植物のどの部分にあたる？

ホオズキの〝袋〟は、じつはもとは「ガク」だった部分。他の植物は、花が咲き終わると、ガクも落ちてしまうが、ホオズキのガクは落花後も残り、果実を包みこむように成長する。

やがて、実が熟してくる頃、ガクも色づいて、あのきれいなオレンジ色の袋ができあがるのだ。

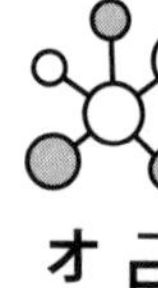

「日本のポプラはオスばかり」って本当？

ポプラの木の特徴は雌雄異体であること。雄株と雌株では姿形がかなり違い、日本で街路樹に使われているのは、じつはオスのみだ。

オスだけが植えられたのは、雄株のほうが見た目がスラリとして恰好がいいから。

一方、雌株は背丈が低くずんぐりとしてい

るうえ、横に大きく枝を広がらせる。その枝が道路上に広がれば、交通の邪魔になるため、ポプラの雌株は、同じポプラでも、街路樹には不向きな樹木なのだ。

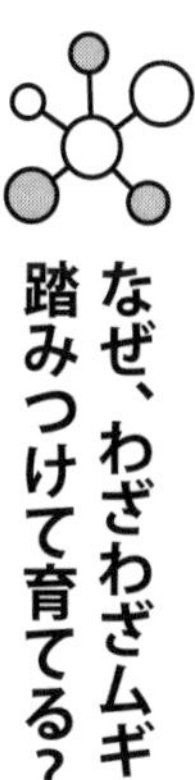

なぜ、わざわざムギは踏みつけて育てる？

かつて、麦を栽培する農家にとって、冬場の「麦踏み」は重要な農作業のひとつだった。今は、トラクターを使うのが一般的になって、麦を踏む姿を見かけることはなくなっている。

それにしても、なぜか弱い若芽をわざわざ踏みつけたり、重みをかけたりするのだろうか？

これは、霜害を防ぐため。冬場、発芽したばかりの麦の若芽は、浅いところに根を張っているだけなので、霜柱が立つと、押し上げられたり、ひっくり返されたりしてしまう。そこで、上から重みをかけて、麦の根をしっかりと押し固める作業が必要なのである。

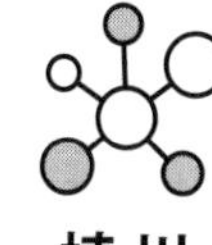

川岸によくヤナギが植えられているのは？

昔から、川岸にはヤナギが植えられてきた。これは、岸辺や堤を川の流れからまもるためである。

コンクリートで護岸できなかった昔、岸辺の土壌は、たえず水流によって削り取られていた。そこで、少しでも岸辺の土壌を守るため、ヤナギが植えられたのだ。ヤナギは、細かなヒゲ根を伸ばすタイプの木で、そのヒゲ根が地盤を引き締めていく。すると、土壌が簡単には流出しなくなるのだ。

しかも、ヤナギは湿気を好む植物であり、水にふれても枯れることはない。護岸用にもってこいの樹木なのだ。

ヤドリギはどうやって樹木にとりつく？

ヤドリギは、宿主となる樹木内部に「寄生根」を侵入させ、そこから水分や栄養を得ている。では、そもそも、どうやって他の木にとりつくのだろうか？

ヤドリギを木の上まで運ぶのは、ヤドリギの実を食べる鳥たちである。ヤドリギの種子には粘着性があるため、鳥が食べ排泄したヤドリギの種は、他の木の幹や枝にくっつきやすい。そうして木の上にたどりついた種子は、そこから寄生根を伸ばし、宿主にとりつくのである。

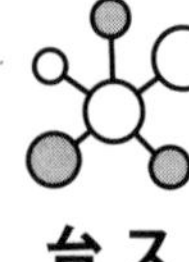

スギの林が台風に弱いのは？

日本の山にスギ林が多いのは、１９６０

年代に大量に植えられたから。しかし、その後、国外から安い輸入木材が入ってくるようになると、しだいに放置されるようになった。

間伐などの手入れが行き届いていないスギ林は、スギ同士が密集して、根の広がりが悪くなっている。踏ん張る力に乏しいため、強い風に直撃されると、すぐに倒れてしまうのだ。

そもそも、スギのような幹が細長く、枝の張り方が少ない木は、風に弱い。人工林の場合、密集しているため、なおのこと強風への抵抗力が乏しくなっているのだ。

チューリップが昼頃に咲くのは？

チューリップの花は、昼間大きく開き、夕方になるとしぼんでしまう。これは、チューリップが温度変化に敏感で、花を開いたり、閉じたりするタイプの花だからである。

昼近くになって気温が上昇すると、チューリップの花びらの付け根部分では、内側の細胞の成長速度が外側の細胞よりも速くなる。すると、花弁は内側から外側に押される形になり、花びらが開く。一方、夕方になって気温が下がりはじめると、細胞が縮み、花びらは閉じていくというわけだ。

マングローブが海の中でも成長できるのは？

マングローブは、海水をかぶるような環境でも育つ植物の総称。日本でも、沖縄や小笠原諸島では、マングローブ林を見ることができる。なぜ、マングローブは、海水に浸かっても、枯れたり、根腐れを起こしたりしないのだろうか？

マングローブは、塩分をとりのぞくための2つの機能を備えている。ひとつは、根で塩水から塩分をこしとって、真水分のみを吸収するという仕組み。もうひとつは、根からは塩水を吸い上げるのだが、葉にある「塩類腺」という器官で塩分を外に出す仕組みだ。

どちらの機能をもつか、あるいはどの程度の塩分濃度に耐えられるかは、植物の種類によって異なっている。

バナナはどうして茶色くなる？

黄色いバナナを食べないまま放っておくと、やがて全体的に茶色くなってしまう。なぜ、バナナは茶色く変色するのだろうか？

これは、エチレンガスの働きで成熟が進

みすぎてしまうため。エチレンには、でんぷんを糖にかえて、果肉を柔らかくする働きがある。輸入物の青いバナナなどは、成熟を早めるため、エチレンガスを人工的に注入し、黄色く色づいたところで流通させている。

ところが、バナナには、もともとエチレンガスを作り出す力があり、熟してからもエチレンガスを作り出すため、やがては成熟を通りこして傷みはじめる。最後には、茶色くブヨブヨの物体になってしまうというわけだ。

モミジとカエデはどう違う？

一般に「モミジ」と呼ばれている植物は、カエデ科カエデ属の樹木のこと。そのなかにはイロハモミジ、ヤマモミジ、ハウチワカエデのように、○○モミジと○○カエデが混在している。要するに、モミジとカエデは植物学的には差異のないものなのである。

なお、「カエデ」という名は、葉の形が蛙の手に似ていることに由来し、「蛙手（かえるで）」がなまったもの。

ドングリの表面がつるつるしている目的は？

ドングリは、カシやクヌギ、ナラの木などの木の実の総称。その表面は、なぜつるつるしているのだろうか？

それは、鳥にやすやすと食べられないようにするため。鳥のとがったクチバシは、果物をむしり取ったり、ミミズなどの昆虫をつかむのには便利でも、ドングリのような丸くつるつるしたものをつかむのには向いていない。クチバシではさめたとしても、ツルンと滑ってしまい、うまく食べられない。

また、歯で噛んでもうまく噛み砕けないので、丸飲みにすることになる。すると、胃腸で消化されないまま、便として排出されることになる。これで、鳥によって遠くまで運ばれるというドングリの生存作戦は成功というわけである。

ネギに〝坊主〟ができるのはどうして？

ネギの茎の先端には、たまねぎのような形をしたネギ坊主ができる。じつは、あれがネギの花だ。

まだ若いネギ坊主は、薄い膜の袋に包まれているが、やがてその袋が破けると、白緑色のごく小さな花が集まって咲いているのが見えてくる。

海岸にはクロマツが植えられるのは？

海岸線に防風林や砂防林として植えられているマツの大半は、クロマツ。天の橋立や三保の松原など、有名どころのマツも、クロマツである。

クロマツが海岸部に向いているのは、湿気と潮風に強いから。もともとクロマツは、中部地方よりも南の海岸部に自生していた種類で、湿気や潮風に対する適応力を持っている。しかも、強風にさらされても、枝が折れにくい。

また、クロマツは、高さは40メートルにも達することがあり、防風林として十分な大きさに育つ。そうした強さと大きさによって、日本中の海岸に植えられるようになったのだ。

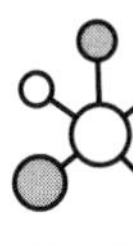

サツキが険しい崖に好んで咲くのは？

野生のサツキは、渓流の岸壁などの、崖地に育つ植物。栄養分の乏しい岩場の隙間に根を張り、花を咲かせる。

サツキがそんな過酷ともいえる場所に自生するのは、日光を独占するためだ。太陽光をたっぷりと浴びるためには、渓谷の斜面は最高の場所といえる。他に、岩場に自生する樹木はそうはないので、日光をさえぎるものはない。

　サツキはそういう生存戦略から、岩場を生息地に選んだのだ。そういう厳しい場所でも生きられる生命力の強さが注目されて、サツキは園芸用にも利用されることになり、ファミレスの植採などに多用されることになった。

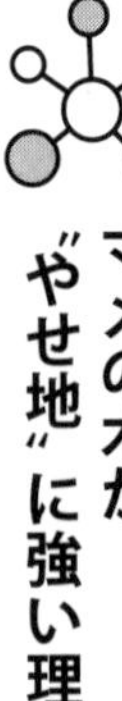

マメの木が〝やせ地〟に強い理由とは？

　マメ科の植物は、やせた土地でもよく育つ。ハギやクズ、シロツメクサ、レンゲソウなどである。なぜ、マメ科は生命力が強いのだろうか？

　大半の植物は、硝酸やアンモニアといった窒素化合物を土壌から吸収することで、必要な窒素を摂取している。ところが、マメ科の植物は、土からだけではなく、空気中の窒素を取り込むこともできるのだ。

　ただし、空気中の窒素を捕まえているのは、マメ科の植物自身ではなく、植物の根にすみついた根粒菌というバクテリア。根粒菌は、豆類の根の中にあって、空気中の窒素をつかまえ、植物に供給している。

8

敬遠していた
物理と化学、
これだけはおさえよう

エレベータの中で、重さをはかると重量は変わる？

エレベータの中に秤（はかり）を置いてモノの重さをはかると、普通の状態で量るときとは別の数字が出る。

まず、エレベータが降りはじめた瞬間、モノは通常よりも軽くなる。そして、エレベータが同じ速度で下降している間は、ふだんと同じ値になるが、エレベータが止まる瞬間には普通よりも重くなる。

これは「慣性の法則」が働くから。エレベータが降りはじめたとき、モノは慣性の法則によって、一瞬、静止状態を保とうとする。その瞬間、モノは宙に浮いたような状態になり、その分、重さが軽くなる。一方、エレベータが止まるときは、やはり慣性の法則によって、モノはまだ下に動こうとする。その分の圧力が秤にかかり、重くなるのだ。

鳥籠の中で鳥が飛んでいるときの鳥籠全体の重さは？

次に、小鳥を密閉容器の中に入れて、その重さを量ってみるとしよう。その小鳥が密閉容器の中で飛び回っているとき、重さはどうなるか。その場合、秤にかけると、たとえ小鳥が飛び回っていても、小鳥が着地しているときと同じ重さを示す。それは、小鳥が密閉容器内で羽ばたいているから。上昇気流のないところで、鳥が飛んでいるときは、翼を動かして、空気を下方に押し込んでいる。羽ばたくことによって生じた空気圧が、容器や秤に加わるため、小鳥が飛んでいても、鳥籠全体の重さは変わらないのだ。

地震計も揺れるのに、なぜ地震の揺れを測定できる？

地震が起きると、テレビですぐに「地震速報」が流れ、発生時刻と震源地、震度、マグニチュードなどを知ることができる。

その速報は、気象庁の発表を伝えるもので、それらのデータは、国内各地に設置された「地震計」によって測定されている。

そこで疑問に思うのは、地震が起きれば、地震計自身も揺れるはずなのに、揺れの大きさをどのように測定しているかということだ。

答えは、振り子の原理を利用して測定している。

物体には、その状態を保ち続けようとする「慣性の法則」が働いている。静止状態の振り子は、地震が起きて揺れても、止まったままでいようとするので、地面の動きとの間に差が生じる。地震計はこの原理を利用しているのだ。

かつての地震計は、振り子の先端にペンをつけておき、その下に一定の速さで送られるロール紙を設置してあった。地震が起きると、ロール紙は動くが、振り子はじっとしているので、ロール紙には地震の振動とは逆向きの軌跡が描かれるという仕組みだ。それが、地震計の基本原理である。

ただし、昔の地震計はロール紙が使われていたが、現在では、振り子の先端にコイルを取り付け、その周りを円筒形の永久磁石で囲っている。地震が起きて地震計が揺れると、永久磁石の磁界のなかでコイルに起電力が生じて電流が流れ、電気的な信号を記録するという仕組みになっている。

また、地震はいろいろな方向に揺れるので、1台の地震計に東西、南北、上下の三つのセンサーを搭載。それらの記録を合成することで、その地点の揺れが測定できるようになっている。

そして、各地から送られてくるデータをコンピュータ処理することで、震源の位置や深さ、起震時刻、マグニチュードを算出し、地震速報で流している。

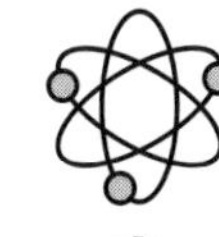

空気よりも重い二酸化炭素は、なぜ地表にたまらない？

二酸化炭素の比重は、1・53。すると、地表に二酸化炭素がたまって、人間や動物が呼吸できなくなることもありうるのだろうか？

現実には、二酸化炭素が地表にたまって、人間を窒息死させることは、まずありえない。それは、空気はつねに対流して、動いているから。二酸化炭素の分子も、空気中で一か所にとどまることはないのだ。

しかも、二酸化炭素は、空気中にわずか0・03%しかない。そんな二酸化炭素が、人間の致死量である10%もたまることは、まず考えられないのだ。

導体、半導体、絶縁体の違いは?

金、銅、鉄など、電気をよく通す物質は「導体」。ダイヤモンドやガラスなど電気をほとんど通さない物質は「絶縁体」。そして、それらの中間にあるのが、シリコンに代表される「半導体」だ。

それらの違いは、内部の構造にある。電気を通すかどうかは、物質内で電子が自由に動けるかどうかにかかっている。絶縁体の場合、電子はほとんど動けない。電子が動けなければ、電流は生じない。

一方、導体は、物質内部で電子が自由に動き回ることができ、電気をよく通す。

半導体内部では、電子は動けるものの、活発には動けない。そのため、電気伝導率が導体と不導体の中間あたりになるのだ。

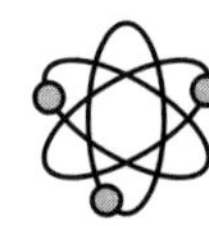

遠赤外線って、どんな赤外線？

遠赤外線こたつなどに利用されている遠赤外線は、赤外線の一種。電磁波のうち、目に見えるものが一般に「光」と呼ばれるが、赤外線は人間の目に見えない電磁波の一種だ。

その赤外線は、波長の長短によって、近赤外線、中赤外線、遠赤外線に分けられる。遠赤外線はもっとも波長が長く、「目に見える光からは、最も〝遠い〟赤外線」ということで、この名がついた。

遠赤外線は物体に浸透しやすく、物体内の分子運動を活発化させる力をもっているため、熱線として利用されている。遠赤外線こたつや遠赤外線を利用した調理器は、この熱を発生させるという性質を利用したものだ。

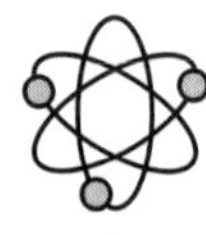

光の速さをどうやって計算した？

光の速度は、秒速約30万キロ、1秒間に地球をおよそ7周半する。そんなとんでもない速さをどうやって計測したのだろうか？

まず、17世紀、ガリレオ・ガリレイが計測に挑戦し、失敗している。離れた2つの地点の間でランプの光を送り、その到達時間を計ろうとしたのだが、光があまりに速すぎるため、当時の技術では計測不能だった。

19世紀の半ばには、鏡と歯車を利用した計測法が考案された。光を歯車の歯と歯の間から鏡に向けて放つ方法だ。そのとき、歯車が静止していると、鏡に当たった光は歯車の同じ隙間を通って返ってくるが、歯車を高速回転させると、鏡から跳ね返ってきた光は歯車の歯の部分にさえぎられることがあり、戻ってこなくなる。その違いから、光の速度を計算し、光速にかなり近い数字を弾き出すことに成功した。

物体の三態とは？

固体、液体、気体という3つの状態を「物質の三態」と呼ぶ。この変化は、温度上昇とともに、原子同士の結びつきが緩くなることよって生じ、物体は固体から液体、やがて気体へと変化する。

たとえば、鉄は、摂氏1535度で、固体から液体へと変わり、2750度で液体から気体へと変わる。そこで、溶鉱炉では1535度以上に熱し、鉄を液体に変えている。

酸素の場合は、ふだんは気体だが、固体や液体にも変化する。酸素はマイナス182・6度で、気体から液体へと変わり、マイナス218・4度で、液体から固体へと変化する。

真空状態は何もない状態ではない⁉

空気をすっかり抜いた状態は「真空」状態とされる。世の中には「真空パック」入りの商品がよく売られているが、じつはその〝真空状態〟は、厳密には何もない状態ではなく、「空気が低密度になった状態」にすぎないといえる。

いまのところ、真空を「まったく何もない状態」と定義するなら、その状態を人為的につくりだすことは不可能なのだ。密閉した空間から真空ポンプを使って空気を完全に抜き取ったつもりでも、そこにはまだ物質が残っている。

1立方センチの空間には、1気圧下、1兆の3000万倍という桁外れの数の分子が存在している。最新式の真空ポンプで、それらを全部吸い込んだつもりでも、3万個程度の分子が残ってしまう。そこには、窒素分子もあれば、酸素分子、二酸化炭素分子などが、まだウヨウヨしている。真空というよりも、高レベルの低密度空間と定義したほうが正しいのだ。

市販の真空パック食品ならなおさらで、単に空気を低密度状態にしたにすぎず、空気に含まれる物質がまだまだ残っている。

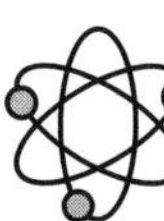

半径10メートル以上のメリーゴーラウンドの〝悲劇〟とは？

遊園地のメリーゴーラウンドの大きさは、半径10メートル程度が限界。それ以上に大型化すると、安全性に問題が生じてしまう。

大型化するほどに、メリーゴーラウンドには大きな遠心力が働く。遠心力は、円の中心から遠いほど大きくなるため、中心から離れた木馬に乗った人ほど、強い遠心力を受けることになる。

たとえば、半径10メートルの木馬では、体重の15％の遠心力がかかってくる。体重60キロの人の場合、9キロもの遠心力がかかり、それは安全面からいってギリギリのラインだ。

それ以上に大きな遠心力がかかると、乗っている人はバランスを崩して、木馬からころげ落ちかねないので、メリーゴーラウンドはそれ以上大きくすることができないのだ。

ネオンサインにネオンが使われるのは？

ネオンは、空気中にわずかに含まれている無色無臭のガス。両端に電極を設けたガラス管に詰め、放電すると赤く光る。その性質を利用しているのが、ネオンサインである。ただし、ネオンだけだと赤色しか出せないので、他の色はアルゴンや水銀などの添加物を加えて発光させている。

ネオンサインを開発したのは、フランス人技術者のジョルジュ・クロード。ネオンガスを封入した管に放電することで、新たな照明器具を発明したのである。１９１２年、パリのモンマルトルの理髪店に掲げられたのが、その世界第1号だった。

１９２０年代になってアメリカに伝わると、ロサンゼルスの自動車販売店が広告塔として設置。すると、赤々と輝くネオンサインにひかれて、来店客が急増し、以後、ネオンサインは世界の大都市へ広がっていった。

アスベストは、何がどう恐ろしいのか？

アスベストは、繊維状のケイ酸塩鉱物の総称。「石綿」とも呼ばれ、断熱性、不燃性、吸音性にすぐれているところから、かつては建材によく用いられていた。しかし、発がん性があることがわかり、かなり前から使用が禁止されているが、今もかつて使用されたアスベスト問題が尾を引いている。

アスベストは、粉塵となって浮遊しやすいので、人間は知らないうちに吸い込んでしまう。体内に吸い込まれたアスベスト粉塵は体内に蓄積され、やがてさまざまな病気を引き起こす。呼吸細気管支炎、肺胞炎症、肺繊維症、肺がんや悪性中皮腫の原因になる。

古いビルでは、建材からアスベストが漏れ出していることもある。すると、知らず知らずのうちに粉塵を吸い込んでいることもあるのが、アスベストの怖さだ。

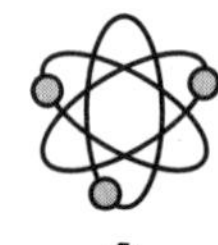

合金にすると、金属の性質が一変するのは？

2種類以上の金属や元素を組み合わせることで、性質が大きく変化することがある。たとえば、ジュラルミンは、アルミニウムに銅やマグネシウム、マンガンを混ぜた合金だが、アルミニウムよりもはるかに強度が高くなる。

合金になることで性質が変わる理由は、金属結晶の中に別の元素の原子がはいり込むこと。すると、金属結晶の強度が上がったり、電気抵抗に変化が生じるなど、金属の性質が変化することがあるのだ。

むろん、悪い方向に変化したり、何の変化も現れないことも多いのだが、無数の実験が繰り返され、有効な変化が現れた合金だけが使われているというわけだ。

なぜ、木材は伐採して数百年してからの方が強くなる？

木材は伐採したてよりも、伐採から２００年、３００年たった後のほうが強度が高くなる。なぜだろうか？

それは、木材に含まれるセルロースという物質の性質によるもの。セルロースは樹木細胞の７割を占める有機化合物で、分子が複雑にからみ合い、糸のようにつながりながら、束のようになっている。

生きている木は、水分を含んでいるため、セルロース同士の結びつきに、ゆるさが残っている。その水分が長い年月の間に少しずつ抜けていくと、セルロース同士の結びつきは強まり、最後には結晶化して強度は最強となる。そうなるまでには、２〜３世紀という長い時間がかかるのだ。

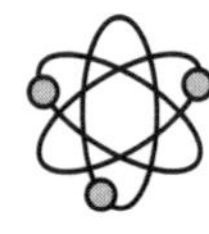

タマネギを切ると目がしみる本当の理由は？

硫黄分を含んだ温泉では、卵の腐ったような臭いが漂っているもの。あの臭いは、硫黄と水素の化合物、硫化水素が発する臭いである。

硫黄は食品にも含まれていて、ネギやにんにく、ニラ、タマネギの臭いも、硫黄化合物によるもの。タマネギを刻むと涙が出てくるが、それも硫黄を含む成分が目にしみるためだ。

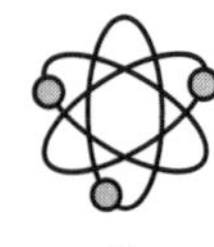

1円玉をこすり合わせると黒い粉が出るのは？

1円玉同士をこすり合わせていると、やがて黒い粉が出てくる。なぜだろうか？

1円玉は、アルミニウムでできている。表面は酸素と結合し、酸化アルミニウムになっているが、その酸化アルミニウムも、銀白色の光沢をもった物質であることに変わりない。それなのに、1円玉から削られて出てきた粉末は、黒っぽく見えるのだ。

これは、光の反射のなせるものだ。アルミニウムが光沢をもっているように見えるのは、一つの面を構成しているから。その面が光を一様に跳ね返し、光は散乱することなく、人間の目に入ってくる。その結果、白く光って見えるのだ。

だが、アルミニウムが粉末になると、話は違ってくる。アルミニウムの粉末も光を反射するのだが、光は一つの面ではなく、それぞれの小片にあたるため、ばらばらに跳ね返され、散らばってしまう。そうなると、人間の目には、黒っぽく見えるのだ。

じつは、ふつうの状態の1円玉も、真正面からはたしかに光って見えるが、真横に近い角度から見ると、どこか黒い部分があるようにも見える。

それも、表面の小さなでこぼこによって、散乱するためだ。

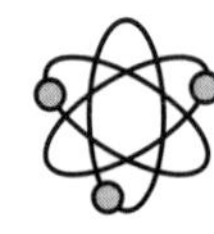

ステンレスがサビないのはどうして?

ステンレスの主原料は鉄。それなのに、ふつうの鉄のようにサビない理由はクロムの膜に覆われているからである。

ステンレスは、鉄とクロムやニッケルなどの合金。鉄の表面をクロムが膜となって覆い、ニッケルがサビ防止効果を高めている。そのため、ステンレス製品がサビることはまずないのだ。

ただし不思議なことに、ステンレスを作るときには、鉄サビを必要とする。鉄とクロムとだけではうまく結びつかず、両者をくっつけるには鉄サビが必要なのだ。つまり、クロムはサビた鉄の表面にくっつき、鉄の表面を覆っているというわけ。だから、鉄はクロムに覆われた内部で、すでにうっすらサビた状態にあるといえる。

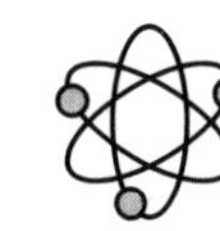

リトマス試験紙の原料は？

リトマス試験紙は、酸性かアルカリ性かを調べるための試験紙。

その試験紙の主原料となるのは、コケである。地中海の海岸で採取されるリトマスゴケには、リトマスという紫色の色素が含まれていて、この色素は酸性で赤色、アルカリ性で青色に変色する。14世紀の初め、スペインの化学者デ・ビラノバがこのことを発見、そのリトマス現象を利用したのがリトマス試験紙である。

リトマス試験紙の製造は、リトマスゴケを炭酸カリウムで煮ることからはじまる。煮汁にアンモニアを加えて発酵させると、リトマス色素を取り出せる。それを濾紙にしみこませたものが、リトマス試験紙というわけ。

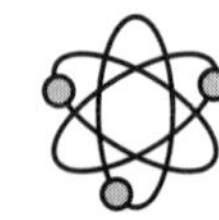

周期表の誕生をめぐるウソのような話とは？

周期律の発見は、化学の進歩にとって画期的な出来事だった。元素は、原子量が少ない順に、水素、ヘリウム、リチウムと原子番号をつけられているが、その原子番号の増加に伴って、元素の性質が周期的に変化を繰り返すという化学法則が「周期律」であり、それを図表化したものが「周期表」だ。

１８６９年、周期表をつくったのは、ロシアの化学者メンデレーエフである。当時は、次から次へと多くの元素が発見されていた時代であり、化学者の関心は次々と現れてくる元素全体をどうまとめるかにあった。多くの化学者が元素と元素の間には相関関係があるとみて、系統だった整理を試みていた。メンデレーエフもその一人だった。

彼は当時、ペテルスブルグ大学に勤めていて、昼間は講義に時間を割かねばならない。講義が終わると、夜遅くまで元素の研究を続けるなか、ある日、書斎でうたた寝していた。うたた寝中、彼は不思議な夢を見た。元素が表にまとめてあるような夢で、夢からさめたメンデレーエフは、その夢こそ、元素の相関関係を解く鍵ではないかと直感した。そして、彼は、原子量の小さい順に元素を並べると、周期性があることに気づく。8番目ごとに、よく似た性質の元素が現れてくるのだ。メンデレーエフは、それを表としてまとめてみた。それが、周期表である。

周期表にはいくつかの空席があったが、メンデレーエフはそれはまだ発見されていない元素があるからと予言した。やがて、メンデレーエフの予言は的中し、その後、多数の元素が発見されて周期表の空白を埋め、彼の周期表の正しさが証明されることになったのだ。

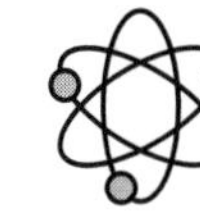

塩素（Cl）が水道やプールの殺菌に使われるのは？

塩素は、毒ガス兵器にも用いられるほどの猛毒。そうした塩素の特質を利用したのが、塩素による水道水の殺菌である。ただ、水道水の殺菌には、塩素単体ではなく、塩素の化合物の次亜塩素酸ナトリウムが使われている。

なお、よく水道水やプールの水を「カルキ臭い」というが、そのカルキとは石灰のこと。消毒に用いるさらし粉は、消石灰に塩素を加えたものであり、日本に入ってきたとき、クロールカルキと呼ばれることになった。そのため「カルキ臭い」といわれるようになったのだが、あの臭いは、カルキ（石灰）ではなく、クロール（塩素）の臭いである。

ウラン（U）と天王星（ウラヌス）の関係は？

核兵器にも原子力発電にも利用されるウランは、1789年、ドイツの化学者クラプロートによって発見され、「ウラヌス」にちなんで、ウランと名づけられた。

ウラヌスとは、ウランが発見される数年前に見つかった天王星「ウラヌス」のこと。もとは、ギリシア神話の天空の神の名である。

プルトニウム（Pu）と冥王星（プルート）の関係は？

プルトニウムは、天然にはほとんど存在せず、原子炉で人工的につくられる物質。１９４０年に、カリフォルニア大学のグレン・シーボーグらによって発見された。

プルトニウムという名前は、先に発見されていたウラン＝天王星、次のネプツニウム＝海王星という流れに沿う形で、冥王星（プルート）にちなんで名づけられたもの。プルートは、ギリシア神話では「地獄の王」のことであり、プルトニウム発見のわずか５年後、プルトニウム原爆がつくられた。

酸素（O）の発見者が〝2人〟いるのは？

酸素を発見したのは、スウェーデンの化学者カール・ヴィルヘルム・シェーレ。１７

71年、彼は現在、酸素と呼ばれている物質を発見し、「火の空気」と名づけた。そして、大気は「火の空気」と「ダメな空気（窒素）」の2種類から構成されていると推測した。

ところが、シェーレがその発見を発表しないうちに、3年後の1774年、イギリスの化学者ジョゼフ・プリーストリーが先に発表した。そのため、以前はプリーストリーが酸素の発見者とされていたのだが、その後、シェーレも発見していたことがわかり、現在はそれぞれが独自に発見したとして、2人ともに酸素の発見者とされている。

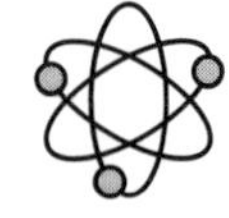

窒素（N）が爆薬によく使われるのは？

空気の5分の4を占める気体「窒素」は、爆薬によく使われる。黒色火薬、ニトログリセリン、プラスチック爆弾などの主要素材は、窒素化合物である。

窒素化合物が爆薬の材料によく用いられるのは、窒素分子の結合力がひじょうに強く、簡単には離れないため。結合力が強い分、窒素分子が化合物から離れるときに、大きなエネルギーが放出されるのだ。そのエネルギー放出が爆発であり、もし窒素分子の結合力が弱ければ、エネルギーは弱いものになってしまうのだ。

硫黄（S）はどんなところで〝臭っている〟？

温泉、とりわけ硫黄泉の近くでは、卵の腐ったような臭いがするもの。あの臭いは、硫黄と水素が結びついた硫化水素が発する臭いである。

硫黄は食品にも含まれ、ネギやニラ、ニンニク、タマネギなどが発する臭いも、硫黄化合物によるものである。硫黄は、人間の体内にも存在し、髪や爪を燃やすと異臭がするのは、硫黄を含むアミノ酸でできているから。また、タマネギをきざむと涙が出てくるのも、硫黄を含む成分によって目が沁みるためである。

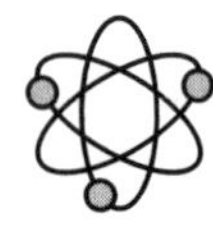

カリウム（K）は、体の中でどんな働きをしている？

カリウムは、生物にとって必須元素のひとつ。人間の場合は、体重60キロの成人の体内に約２４０グラムのカリウムが存在する。その一番の役割は、細胞内の水分量の調節にある。

カリウムの98％は細胞内にあり、細胞内のカリウム濃度が低くなったときには、細胞は水分を保てなくなって小さくしぼんでしまう。すると、人間は脱力感や食欲不振に見舞われることになる。

逆に、カリウムが多すぎると、今度は細胞内に水が必要以上に入り込んで、細胞が大きくふくらんでしまう。すると、やはり細胞活動が弱まり、疲れやすくなってしまう。

人体の組織が正常に働くには、カリウムが一定量に保たれていることが必要なのだ。

タンタル（Ta）が人体の〝補修〟によく使われるのは？

タンタルは、人体と相性がよいことで知られる金属。近頃では、人体の〝補修工事〟にぴったりの元素して注目を集めている。骨折の治療用の骨と骨をつなぐボルトや、靭帯を切ったとき、縫合用の糸などに使われているのだ。

タンタルがそうした素材に使われるのは、骨とよく結びつくうえ、アレルギー反応を起こしたり、炎症の原因になることが少ないから。また、硬くて強いわりに加工しやすいことも、大きな長所となっている。

マグネシウム（Mg）がモバイル機器に欠かせないのは？

マグネシウムの一番の特徴は、金属元素のわりに軽量であること。鉄の5分の1の重さしかなく、工業用によく利用される金属のなかでは最軽量の部類。それでいて、マグネシウムは熱や電気をよく通すうえ、強度を備え、振動や衝撃に強い。さらに、すぐに放熱し、熱をためこまない。

というような長所を備えていることから、マグネシウムはモバイル機器やノートパソコンのボディとして欠かせない素材となっている。ノートパソコンなどを持ち運べるのも、うっかりぶつけてもボディがへこまないのも、マグネシウムの軽さや硬さのおかげなのである。

タングステン（W）がフィラメントに使われるワケは？

白熱電球のフィラメントは、長時間にわたって高温状態になるため、融点が低い素材を使うと溶けてしまう。その点、タングステンは融点が３３８０℃とひじょうに高いので、フィラメントとしての長期使用に耐えることができる。それが、タングステンがフィラメントに使われてきた一番の理由である。

1910年、タングステン製のフィラメントを発明したのは、エジソンではなく、ゼネラル・エレクトリック（GE）社の研究者だったクーリッジ。エジソンの功績は、それ以前、フィラメントに竹を使って、白熱電球の実用化に成功したことにある。

コバルト（Co）って、どういう意味？

コバルトは、その化合物が、青色の顔料として古くから使われてきた金属。しかし、冶金が難しいため、単体金属としては長く利用されていなかった。

コバルトという名も、そうした扱いにくさに由来する名前といえる。16世紀頃からドイツの鉱山作業員の間で、扱いづらい鉱石として「コーボルト」と呼ばれていたのだ。「コーボルト」とは「地下の鬼」というような意味で、18世紀、この俗称が元素名としても使われ、「コバルト」と呼ばれるようになった。

そのコバルトは、現代社会では、欠かすことのできないレアメタル。鉄にコバルトを混ぜると、磁気材料としての性能が大きくアップするのだ。その合金は、パソコンなどの磁気ヘッドに欠かせない素材となっている。

ケイ素（Si）の英語名シリコンって、どういう意味？

アメリカの「シリコンバレー」は、サンフランシスコの南に位置し、多数の半導体メーカーがＩＴ企業が誕生した地域。その名に使われているシリコン（ケイ素）は、半導体の素材のひとつである。

「シリコン」という名は、ラテン語で「かたい石」を意味する言葉に由来する。それは火打ち石のことでもあり、ケイ素は昔から火打石として用いられる素材だったのである。

一方で、日本語の「ケイ素」という名は、江戸時代に伝わったオランダ語の「ケラード」を語源とし、それが「珪土」となり、その珪土に含まれる元素が「珪素」と呼ばれるようになった。「珪」が常用漢字ではないため、今は「ケイ素」と表記されることが多い。

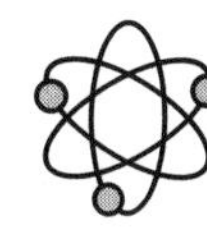

ヘリウム（He）を吸い込むと声が変わるのは？

ヘリウムは、水素に次いで軽い気体。スプレー缶などに入ったヘリウムを吸うと、自分の声とは思えないほど、甲高い声に変わる。

これは、空気とヘリウムでは、音を伝える速度が違うために起きる現象。音は空気中では1秒間に約330メートルの速さで進むが、ヘリウム中では約970メートルも進むのだ。速度が速くなるほどに、音（声）の振動数は多くなり、人間の耳には高く聞こえる。そのため、ヘリウムを吸うと、ハイトーンボイスに変わるのである。

金属元素の中で、水銀（Hg）だけが液体なのは？

金属のうち、水銀だけが常温で液体である。なぜだろうか？

これは、水銀の原子同士の結びつきが弱いため。原子同士がかたく結びつくのは、一部の電子を外に出し、他の原子がこれを受け入れて、電子の共有状態をつくるから。水銀の構造は、電子を受け入れにくくなっているため、原子同士の結びつきが弱い。そのため、金属なのに、通常の温度では、結合のゆるい状態である液体となっているのだ。

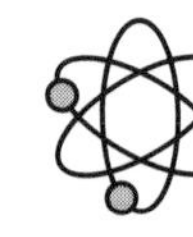

なぜリチウム（Li）は脚光を浴びるようになった？

リチウムが一躍脚光を浴びるようになったのは、携帯電話時代になってからのこと。携帯電話には、リチウムイオン電池が使われているからだ。

リチウムイオン電池がモバイル用の電池に使われる理由は、その軽さにある。リチウムイオン電池は、他の電池に比べて圧倒的に軽いのだ。

リチウムは、水素、ヘリウムに次いで軽い元素。金属としてはもっとも軽く、水に浮くほど（比重0・53）である。そのため、リチウムイオン電池は、ニッケルカドミウム電池、ニッケル水素電池の3分の1ほどの重さしかない。

しかも、電池として高性能で、蓄電できる電気量は大きい。軽くて高性能だから、モバイル機器にはリチウムイオン電池がベストなのである。

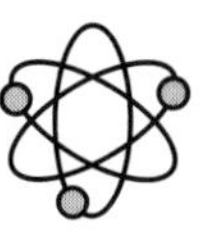

アルミニウム(Al)は昔、金よりも高価だった⁉

19世紀半ばまで、アルミニウムは、金よりも高価な金属だった。そのため、フランスでは、国賓をもてなすときには、アルミニウムの食器を使っていたほど。

アルミニウムという元素自体は希少ではないのだが、当時はその化合物からアルミニウムだけをとりだすことがひじょうに難しかった。19世紀半ばまで、アルミニウムを取り出すためにナトリウムを使っていたのだが、そのナトリウム自体が当時は高価だったのだ。

その後、電気技術が発達すると、ホール・エルー法という方法で、電気を利用して金属アルミニウムが得られるようになった。すると、アルミニウムの価値はたちまち下落、汎用性の高い金属として広く用いられることになった。

人類が鉄（Fe）を使い続けてきたのは？

人類が使ってきた金属の95％は鉄であり、現在も〝鉄器文明の時代〟が続いているといってもいい。それほどに鉄が使われてきた理由は、埋蔵量がひじょうに多いうえ、地表近いところにたっぷりあることである。その分、採掘しやすく、コストがかからないのだ。

しかも、鉄は加工しやすく、炭素を使って強度や性質を自在に変えることができる。鉄とコンビを組む炭素も、地球上にたっぷりあって、安価に調達できる元素なのである。

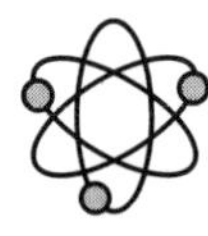

銅（Cu）がコインによく使われるのは？

銅は10円玉だけでなく、１円玉をのぞく、すべての硬貨に含まれている。５円玉は、銅60％、亜鉛40％の黄銅。50円・100円・500円玉は、銅75％、ニッケル25％の白銅である。

硬貨に銅が多用されるのは、銅が他の金属と組み合わせると、強度の高い合金になるから。加えて、安っぽくないわりには、比較的安価に硬貨を鋳造することができるからである。

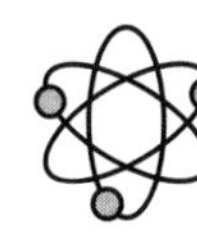

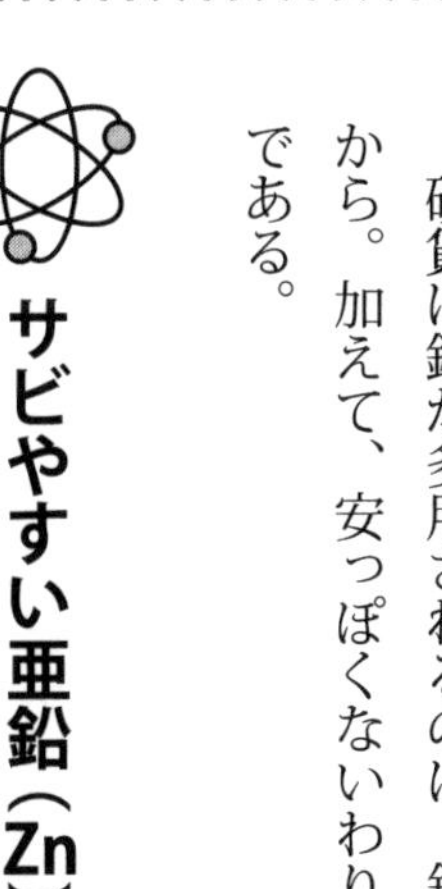

サビやすい亜鉛（Zn）をなぜメッキに使う？

トタン板は、鉄板に亜鉛でメッキを施したもの。亜鉛単体では鉄以上にサビやすいのに、なぜ亜鉛でメッキをするのだろうか？

金属は、電子を放出してイオン化しやすい金属ほど、酸化しやすく、サビやすい。亜鉛は鉄以上にイオン化しやすいので、トタン板は表面に塗った亜鉛が鉄の前にイオン化する。つまり、亜鉛が先にサビはじめるのだ。

亜鉛が先にサビると、地金である鉄は腐食しない。外側の亜鉛のサビた層によって、内部の鉄は守られ、サビずに強度を保つことができるというわけだ。

銀（Ag）が食器に使われてきたのは？

銀は、空気中の水分や硫化水素、亜硫酸ガスと反応して、表面に硫化銀ができやすい。手入れを怠ると、銀製品が黒く変色するのはこのためだ。

また、銀が古くから食器として用いられてきたのは、この性質を利用してのことである。

中世には、毒物としてヒ素がよく使われたが、当時のヒ素は不純物が多く、硫化物を含んでいた。そのため、ヒ素入りの食べ物や飲み物を銀食器に入れると、銀が黒ずみ、毒が盛られていることが目で見てわかった。つまり、銀食器は、毒殺から身を守るための護身用の道具だったのだ。

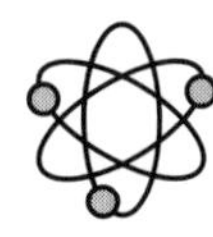

高価な白金（Pt）が触媒としてよく使われるのは？

白金はひじょうに高価な金属だが、物質の反応を促進させる触媒として、工業用によく使われている。白金は、白金自身は変化しないのだが、他の物質の反応をよくするという性質をもち、他の触媒ではうまくいかない反応でも、よく働くことが多いのだ。

そのため、高価でありながらも、化学反応を進める実験で触媒を探すときには、まず白金が試されることが多いのである。

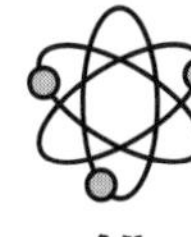

鉛（Pb）が古代ローマを滅ぼしたという説があるのは？

古代ローマ人は、鉛の毒性を知らなかったために滅びたという説がある。

まず、古代ローマでは、ワイン用に鉛の鍋を使っていた。防腐剤も冷蔵庫もない時代、ワインはすぐに腐敗し、酸っぱくなった。そこで、ローマ人は、酸っぱくなったワインを鉛の鍋で煮て甘くしていたのである。酢酸と鉛が化合すると、甘味のある酢酸鉛になる。だから、鉛の鍋で煮ると、ワインの甘みが増したというわけである。

また、古代ローマでは、水道管に鉛を使っていた。鉛入りのワインや鉛管を通ってきた水を常飲していたとすれば、体や脳に異常をきたしても不思議ではない。

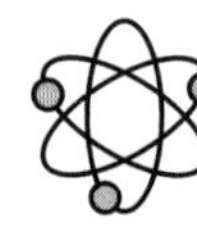

金（Au）が金色に輝いているのは？

金が古代から珍重されてきた理由は、むろんその輝きにある。それにしても、なぜ金は黄金色に輝くのだろうか？

金属が光るのは、電子殻の外側の自由電子が光を反射するから。金の場合もそのメカニズムが働いているのだが、とりわけ金の場合は、可視光のうち、赤～黄色の光をよく反射する。それらの色が混じり合って人間の目に飛び込んでくると、金色に輝いて見えることになるのだ。

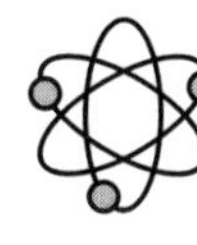

フッ素(F)が虫歯の予防に役立つのは?

フッ素は虫歯予防に使われ、世界には水道水にフッ素化合物を加えている国もある。フッ素が虫歯を予防するのは、虫歯菌の作る酸に対して歯を溶けにくくする効果があるからと考えられている。歯の表面を覆うエナメル質の96%は、「ハイドロキシアパタイト結晶」で構成されている。それにフッ素が作用すると、酸に強い「フルオロアパタイト」に変わる。この「フルオロアパタイト」には虫歯の初期段階に限り、酸に侵されたエナメル質を補修する効果があるとみられている。

リン(P)が人体から発見されたのは?

リンは唯一、人体から発見された元素。1669年、ドイツの商人で錬金術師のヘニング・ブラントは、銀を金に変える薬を作ろうとするうちにリンを発見した。彼は、人間の尿で銀を金に変えることができると信じ、尿を腐らせてから、水分を蒸発させた。すると、「白リン」が分離したのである。

「白リン」は空気中で青白い光を発するので、当時のヨーロッパには、空気中で発光する物体が発見されたというニュースが広まった。ブラントは、その製法を公開することで多額の報酬を受け取り、大金持ちになったと伝えられている。そうして、彼の〝錬金術〟は成功したのだった。

バナジウム(V)が自動車産業を生み出したってホント？

バナジウムは「製鋼添加物」としての用途が8割以上を占めている。鋼にバナジウムを0・1％程度添加すると、炭素と結合して結晶粒の細かい金属構造ができる。つまり、鋼の強度を増すことができるのだ。

かつて、バナジウムのこの性質に注目したのは、自動車王のヘンリー・フォードだった。１９０８年、彼が生み出し、自動車産業の基礎を築いた名車、T型フォードには、シャフトからサスペンション、ギア、アクセル、スプリングに至るまで、バナジウム鋼が使われていた。本格的な自動車産業は、バナジウム鋼とともに、始まったといっていいのである。

ヒ素（As）を飲むと、どんな症状が現れる？

ヒ素は洋の東西を問わず、毒薬として用いられてきた物質。14世紀に成立した『水滸伝』には、ヒ素による毒殺とみられる場面が描かれているので、中国では遅くとも14世紀にはヒ素が毒物として使われていたとみられる。日本の『東海道四谷怪談』で、お岩に盛られたのも、ヒ素だったとみられる。

毒物として用いられるのは、おもに「亜ヒ酸」で、服毒すると最初に嘔吐、次に下痢、血圧低下や頭痛などの症状が現れ、多量に摂取すると、急性腎不全などで死に至る。

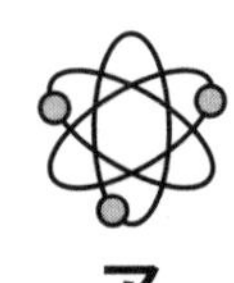

アルゴン（Ar）って、どういう意味？

アルゴンは、空気中に0・93%含まれている気体。この元素は何とも反応しないことで知られ、高温でも燃えない。要するに酸化しないので、食品の酸化防止用充填ガスや溶接時に金属の酸化を防ぐための保護ガスとして用いられている。

アルゴンという名は、その性質を表している。その名は、ギリシア語で「なまけ者」を意味する「アルゴス」や、「不活性」という意味の「アルゴン」から命名されたものだ。

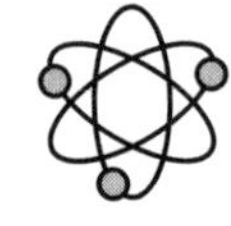

タリウム（Tl）が暗殺によく使われてきたのは？

タリウムは毒性が強い物質。消化管からだけでなく、気道や皮膚からも吸収され、致死量は体重1キログラム当たり8～12ミリグラム。少量の摂取では、嘔吐や食欲不振、上腹部痛、感覚障害、筋力低下などの症状が現れる。

多量に摂取すると、5日～1週間で髪の毛が束になって脱けはじめ、発熱、ケイレンを起こした後、肺炎、呼吸不全などによって死に至る。タリウムは、臭いや嫌な味がないため、かつては暗殺にもよく利用されていたとみられる。摂取後、すぐに死なないことも、暗殺者にとっては好都合だったようだ。

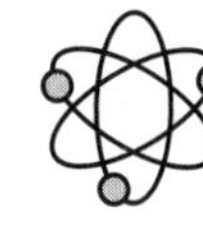

ポロニウム（Po）は暗殺事件でどう使われた？

ポロニウムの放射線の強さはウランの約330倍とされ、その毒性は元素のなかで1、2を争う。致死量はわずかに7ピコグラム（ピコは1兆分の1）。吸引すると体内被曝の危険が大きいため、きわめて厳重に管理されている物質だが、かつて暗殺に利用されたこともある。

ソ連のKGB職員だったリトビネンコ氏は、2006年、イギリスへ亡命中、イタリア人教授と名乗る男性と、ロンドン市内で会食後、体調が悪化、病院へ運び込まれたが、死亡した。

死の翌日、彼の体内からは「ポロニウム210」が大量に検出された。イギリス当局は暗殺と断定し、容疑者を特定。ロシア政府に対して、主犯の旧KGB職員の引き渡しを求めたが、ロシア政府はこれを拒否し、依然、この事件は全容解明には至っていない。

ネオジム(Nd)の〝最強磁石〟としての使い道は?

ネオジムは、1885年に発見されたレアアース。その最も重要な用途は、最強級の磁力をもつ永久磁石に使われることである。約70%の鉄に約30%のネオジムを合わせ、少量のホウ素を添加すると、「ネオジム磁石」ができあがる。かつて最強とされていたサマリウム・コバルト磁石の1・5倍の強さをもつ磁石だ。

現在、この磁石はさまざまな分野で利用されている。ハードディスクドライブや携帯電話の振動モーター、音響機器のヘッドホン、自動車のパワーステアリングなどで、現代の生活に欠かせないものばかりである。

特集2

世の中の裏側が見える！気になる単位の大疑問

「東京ドーム1杯分」って、実際、どのくらいの量？

テレビや新聞報道などでは、大きな量を表すとき、よく「東京ドーム○杯分の大きさ」という言い方をする。

「東京ドーム5杯分にあたるビールの消費量」、「1日に出るゴミの量は東京ドーム1杯分に相当する」、「省エネ努力により、東京ドーム3杯分の二酸化炭素の削減が可能」といった具合だ。

東京ドームができたのは1988年のこと。日本初のドーム型球場ということでマスコミでも大きく取り上げられた。

以後、体積や容積、面積が「こんなに大きい」と伝えたいとき、東京ドームを〝単位〟として用いるようになったのだ。

では、東京ドームの大きさはどれくらいかというと、建築面積が4万6755平方メートル、容積は約124万立方メートルだ。東京ドーム5杯分なら620万立方メートルとなり、確かに「620万立方メートルのビール」というより、「東京ドーム5杯分のビール」のほうがイメージしやすくなるだろう。

ちなみに、東京ドームができる以前も、有名な建物が〝単位〟として用いられていた。よく使われたのは、東京の旧丸ビルや霞が関ビルで、容積は旧丸ビルが26万2000立方メートル、霞が関ビルは52万4000立方メートルだ。

また、地方のテレビや新聞の場合、東京ドーム以外を使うこともある。たとえば大阪なら「大阪ドーム何杯分」といった具合だ。大阪ドームの容積は120万立方メートルで東京ドームとほぼ同じだが、地元の人には「大阪ドーム何杯分」と言ったほうが、よりイメージしやすくなるからだ。

「世界一透明度の高い湖」の「透明度」は、どうやってはかる？

北海道の摩周(ましゅう)湖(こ)といえば、日本でもっとも透明度の高い湖。かつては、世界一透明度の高い湖として知られていたが、今は世界一の座をロシアのバイカル湖に譲り、世界2位の透明度となっている。

透明度は、人間の肉眼を頼りに測定されている。直径30センチの白色円盤におもりをつけて、水中に沈めていく。その白色円盤は、考案者の名から「セッキ円盤」とも呼ばれ、円盤が肉眼で完全に見えなくなった水深が、その湖の透明度となる。セッキ円盤には目盛りのついたロープがつけられていて、それを読むことによって、透明度がわかるという仕組みだ。

摩周湖の場合、1931年には41・6メートルの透明度があった。それが、2004年の調査では19メートルにまで下り、現在は平均23メートル程度である。

一般に、摩周湖をはじめ山地にある湖は、水温が低く、植物プランクトンが育ちにくいため、透明度が高い。ロシアのバイカル湖の透明度が高いのも、寒冷な気候の影響が大きいと考えられる。

逆に、平野部の湖は、温暖な気候にあることが多いため、植物プランクトンが育ちやすい。これが、平野部の湖の透明度を下げている一因といえる。

透明度はその計測方法からもわかるように、人間の肉眼による主観的なもので、湖の汚染度とはあまり関係がない。透明度が高くても、化学物質が多く溶け込んでいることだってあるのだ。

逆に透明度が低くても、その一因が植物プランクトンの繁殖であるのなら、豊かな湖といえるのだ。

どうして台風の強さを表す数字は半端なのか？

毎年８月、９月頃、日本にやって来る台風。その強さは、中心付近の最大風速で表される。

台風は、もともと熱帯低気圧が発達したものであり、中心付近の最大風速が17・２メートル毎秒以上になったものを「台風」と呼ぶ。

台風のなかでも、最大風速が33メートル毎秒以上44メートル毎秒未満になると「強い台風」と呼び、44メートル毎秒以上54・０メートル毎秒未満なら「非常に強い台風」、54・０メートル以上なら「猛烈な台風」となる。

というと、ここで疑問に思う人もいるだろう。風速を用いるのなら、「17メートル毎秒以上」「30メートル毎秒以上」などと、キリのいい数字を基準にしたほうが、よほどわかりやすい。

それをあえて「17・２メートル毎秒」「33メートル毎秒」などと半端な数字

にしているのは、なぜだろうか？

これは、もともとは台風の強さを「ノット」で表していたからだ。ノットは船舶の速度の単位であり、1ノットは1時間に1海里（約1852メートル）進む速度だ。

かつては、航海と関わりの深い事柄には、ノットを用いることが多く、風速もノットで表した。ノットで風速を測り、「台風」としていたものを、メートル法に換算すると、風速17・2メートル毎秒以上になるのだ。

また、台風に限らず、風速の程度を知るための目安となる「ビューフォート風力階級」というものがある。

これも、風力1は0・3メートル毎秒以上1・6メートル毎秒未満、風力2は1・6メートル毎秒以上3・4メートル毎秒未満などと、半端な数字に刻まれている。

ビューフォート風力階級はイギリスの海軍提督が考案したもので、半端な数字はやはり当初はノットで示していたことに由来する。

そもそも花の「開花度」は誰がどう決めている？

毎年、春になると、サクラがどれくらい咲いているか、気になるものだ。あまりに早く花見に行くと、つぼみばかりで、空振りに終わってしまう。一歩遅れると、こんどは葉桜である。そこで、花がどれだけ咲いているか、目安になる数字が「開花度」だ。

開花度の算出は、しごく単純である。開花した花の数を花芽の総数で割り、これを百分率で表せばよい。花芽の総数が1万あり、すでに開いた花の数が3000あれば、開花度は30パーセントとなる。

「花の開花度」は、近年いろいろな場面で使われているが、昔はもっと大ざっぱな単位で花の開き具合を表していた。「3分咲き」「7分咲き」といった「○分咲き」という表現だ。これは、いちいち花の総数と開いた数を調べたわけではない。目で見た感じで、どれくらい咲いているかを主観で表現したものだ。

それに比べて、花の「開花度」はより客観的である。きちんと数えるので、開花度35パーセントといった、こまかい数字が出てくることになる。

脳波を示す4つの数字「δ」「θ」「α」「β」の違いは何?

生物の脳からは、脳波が出ている。脳波は、脳から自発的に生まれる電位変動であり、頭皮の上に測定装置を置けば、簡単に測定できる。

脳波は、周波数帯によって4つに分けられている。0・5〜4ヘルツまでがδ(デルタ)波、4〜8ヘルツがθ(シータ)波、8〜13ヘルツまでがα(アルファ)波、13ヘルツを超えるとβ(ベータ)波となる。

多くの成人の場合、α波とβ波のどちらかが出ている。α波とβ波のどちらが出てくるかは、その人の置かれている環境や行動によって違ってくる。安静にしているときの脳波はα波となりやすく、忙しく仕事をしているときはβ波となる。外から強い刺激を受けるほどに、β波が強くなる傾向がある。

脳波の状態は、年齢によっても変わってくることがわかっている。赤ちゃんの場合、脳波らしいものは確認できず、4歳ころになると、7〜8ヘルツのθ

波が後頭部に現れる。９歳ころには、10ヘルツ前後のα波が後頭部に現れ、成人すると、平均して10ヘルツ程度のα波が支配的になる。年齢を重ねると、今度は脳波の周波数が下がっていく。60歳を超えると９ヘルツに落ち、80歳を超えると８ヘルツまで落ちてくる。これには個人差があり、知的な能力を維持している老人なら、９～10ヘルツ程度でとどまっている。

いつから放射能の単位はキュリーからベクレルになった？

福島第一原発の事故以来、「ベクレル」、「シーベルト」、「グレイ」といった、これまであまり耳にしなかった言葉を耳にするようになった。いずれも、放射能や放射線に関する単位名なのだが、どのような違いがあるのだろうか。

まず「ベクレル（Bq）」は、放射性物質の放射能の量を表す単位である。放射能の強さを表す数値といってもいい。

放射能をもつ原子核が超高速で崩壊の連鎖をはじめると、大きなエネルギーを放出し、それが原子爆弾や原発のエネルギーを生み出している。１ベククレルは、１秒間に平均１個の原子核が崩壊して放射線を出す放射能量ということになる。

ちなみに、１９８６年のソ連・チェルノブイリの原発事故で漏れ出した放射性物質の放射能量は、およそ３×10の18乗ベクレルである。

ベクレルと同じく放射能の強さを表す単位として、かつては「キュリー」があった。ラジウムの発見者であるキュリー夫妻にちなんでつけられた単位で、原子核の崩壊が１秒間に３・７×10の10乗となる放射性物質の量のことをいった。

かつては、キュリーも単位として使われていたが、測定技術が未発達の時代に決められた単位だけに、細かな測定が可能になると、単位としてあまりに大きすぎて実用に向かなくなった。

そこで、自然放射能の発見者であるフランスのアントワーヌ・アンリ・ベクレルの名にちなむ「ベクレル」が使われるようになった。

放射線量の単位グレイとシーベルトの関係は？

放射能の量を表す単位が「ベクレル」なら、放射線の量を表す単位が「シーベルト」と「グレイ」である。「放射能」と「放射線」は混同されがちだが、科学的には違う概念で、放射性物質から発せられるのが放射線で、放射能はその能力のことだ。

「グレイ」と「シーベルト」のうち、「グレイ（Gy）」は放射線の吸収線量の単位である。グレイではかるのは、生物だろうと物質だろうと、それらが受けた放射線の量だ。たとえば、その土地がどれだけの放射線を浴びたかは、「グレイ」で表す。

一方、人体の吸収量には基本的には「グレイ」は使わず、「シーベルト（Sv）」で表す。シーベルトは、人体への危険度を表す放射線量の単位といえる。

ホームページの「アクセス数」はどこまで信用できる?

インターネットを見ていると、「おかげさまで100万アクセスを超えました」「1000万アクセス達成記念キャンペーン!」といった文字を目にする。

しかし、一言にアクセス数といっても、訪問者数や閲覧されたページ数によって数え方が異なり、「ページビュー」「ユニーク数」「ヒット数」などのさまざまな単位が用いられている。

個人が趣味で公開しているホームページの場合、アクセス数はさほど重要ではないが、企業のホームページの場合は、アクセス数は広告効果をはかる重要な目安となる。また、どのページが閲覧されているのか、訪れた人が一日にどれくらいいるかを知るために、アクセス数をはかる単位がいくつも生まれたのである。

たとえば、そのうちの一つ、ページビューは「ページを見た回数」のこと。1人の訪問者がサイト内のページ(HTMLファイル)を5ページ閲覧した場合は５ページビュー、10ページ閲覧すれば10ページビューと数える。ページビューはＰＶで表される。

ただし、ページビューだけでは、そのホームページを何人の人が訪問したのか、その正確な人数を測ることはできない。同じ人が一日に何度もアクセスすると、その数がすべてカウントされてしまうからだ。

そこで考え出されたのが、「ユニーク数」という単位。ユニークユーザー数とも言われるが、一日に訪問してくれた人数を表す。同じ人がサイト内のページを一日に何十ページ開いても、カウントは増えないので、バナー広告のクリック率などの信頼度をはかるときには、この単位が用いられる。

「ヒット数」は、訪問者が閲覧したファイルの総数をあらわす。たとえば、訪問者が５枚の写真が並んだページを見た場合は、５つの画像ファイル＋１つのＨＴＭＬファイルを閲覧したことになり、６ヒットと数える。したがって、１つのページに画像ファイルが多く含まれていれば、その分カウント数も多くなるという寸法だ。

ビットとバイトの違いで知るパソコンの基本とは？

パソコン音痴の人にとって、「メインメモリは何ギガ？　動画を大量に保存するなら、外付けハード買ったほうがいいね」などという会話は、外国語のように聞こえるもの。とはいえ、パソコンを使ううえで、基本となる単位くらいは知っておいたほうがいいだろう。

パソコンや周辺機器のパンフレットを見ていると、「ビット」という単位をよく目にする。この「ビット」とは何だろうか？

普通、パソコンで扱うファイルの大きさは、バイトで表されているが、バイトは「ビット（bit）」が8つ集まったもの。一方、ビットは、コンピュータが扱うデータの最小単位である。

パソコンのなかでは、すべての情報（デジタルデータ）が「0」と「1」の組み合わせによる二進法で表されていて、この「0か1か」が1ビットの情報。

つまり、1ビットでは、扱える情報はたったの2種類しかない。2ビットでは、00、01、10、11の組み合わせとなり、４つの情報が扱えるようになる。

このようにして、３ビット、４ビットと増えていくと、扱える情報はどんどん増えていく。そして、パソコンでは「8ビット」のデータをひとまとまりとして、１バイトという単位にしている。12個の品物を、１ダースと表現するようなものだ。

さて、8ビットでは、０と1の組み合わせは256通りになり、256種類の情報を表現できるようになる。初期のパソコン（マイコン）に8ビットのものが多かったのは、この数字が便宜上、都合がよかったからだ。

というのも、256種類あれば、アルファベットや数字、記号、カナ文字を一通り表すことができるからだ。

ところが、日本語には何千という漢字があり、１バイト256種類ではとても表現しきれない。そこで、16ビット（2バイト）が使われるようになった。2バイトでは、65536種類の情報を表現できるからで、長らくそれがパソコンの基本的な性能を表す単位になった。

「結び目」という意味のノットが船の速さの単位になったのは？

１９６０年、国際度量衡総会で採択された世界共通の単位系を、国際単位系「ＳＩ（エスアイ）」と呼ぶ。ＳＩは、一つの量や大きさに対して一つの単位を決め、シンプルな単位系で混乱のないようにするのがその目的だ。

だが、長い間、その業界で使われてきた単位で、むりにＳＩ化すると、かえって混乱を引き起こすような場合、例外的に認められている単位がある。宝石の「カラット」や、航海・航空で使われる「海里」や「ノット」などである。

１海里は、子午線の緯度1分に相当する地表面の距離のことで、１海里は１８５２メートルと定められている。一方、ノットは船の速度単位で、１時間に１海里すすむ速さが1ノット。現在、船の速さは、だいたい10～30ノット（時速約19～56キロメートル）くらいだ。

ところで、ノット（knot）は、もともと「結び目」という意味。船にはなんの関係もないように思えるが、昔は船の速度をはかる際、結び目のついたひもを海に投げ込んで速度を測っていた。

まず、ロープに一定の間隔で結び目をつけておき、浮きをつけて海に投げ入れる。一定の時間内に、そのロープに沿って航行し、何個の結び目を通過したかによって速さをはかっていた。それが、「ノット」の由来だ。

ちなみに、そのときに使う「浮き」をログといい、そこから（航海）日誌のことを「ログ」と呼ぶようになった。

宝石の単位「カラット」の数字に秘められた意味とは？

宝石の重さを表す単位「カラット」は、他の単位とはどこか違って、語感からしてゴージャスに響くもの。しかし、そんなイメージとは裏腹に、カラットの語源はじつに素朴で、アラビアからアフリカに多く生えているマメ科の植物の名「キラト」に由来する。キラトは日本名「いなご豆」のことだ。

「宝石の単位が豆!?」と驚く人もいるだろうが、古代社会では豆や種がよく単位の基準に使われた。穀物や植物の種子は、大きさや重さが安定しているため、基準に用いるのに適していたのだ。

また、ダイヤモンドを筆頭に、宝石というのは粒が小さい。小さいのに高価だから、重さをキッチリはからなければならない。ところが、天秤に分銅をのせて目方をはかるさい、軽すぎるものは通常の分銅でははかりにくい。

そこで登場したのが、分銅よりも軽いいなご豆である。しかも、いなご豆は1粒0・2グラム程度の大きさで一定しているため、宝石の目方をはかるのに好都合だったのである。この方法を編み出したのは、宝石の取引をしていたアラビア商人たちで、彼らが「カラット」という単位も使いはじめた。

その後、この「豆」の名は、ヨーロッパにも広まり、やがて宝石の重量単位として正式に定められた。1907年にメートル法によって1カラット＝0・2gと定められた。

C0、C1…虫歯の進行段階を表す単位から何がわかる？

歯科医院で検診を受けると、歯科医は歯を見ながら「右上2番C0」「左上

３番Ｃ１」などと助手に告げる。受けているほうは「Ｃ０、Ｃ１って何のこと？」と疑問に思いながらも、検診中は口を開きっぱなしの状態だ。質問するわけにもいかず、結局そのままになっている人も多いのではないだろうか。

この「Ｃ０」「Ｃ１」とは、虫歯の進行段階をあらわしている。Ｃはカリエスのことで、この場合の意味は「虫歯」。では、段階ごとにどのような症状を表すのか、順番に見ていこう。

まず、Ｃ０から。これはまだ、虫歯とはいえない状態のこと。痛みはなく、歯を削らずにすむ状態だ。

次に、Ｃ１は、歯の表面のエナメル質が溶けだした状態。虫歯の初期段階で、冷たいものや熱いものがときどきしみることはあるが、痛みなどの自覚症状はまだない。

Ｃ２まで症状が進行すると、ようやく「これって虫歯かな？」という自覚症状が出はじめる。虫歯が象牙質まで達し、歯の色が黒ずんでくる。冷たいものや甘いものがかなりしみるようになってくるのも、この段階だ。治療には、患部を削って詰めものをする。

さて、Ｃ３に入り、虫歯菌が歯の神経まで達すると、ズキズキした歯痛独特の痛みが発生する。ちょっと削る程度では治療できず、歯の神経を取り、かぶせものをする必要がある。

C4は、虫歯の末期症状だ。神経が壊死(えし)し、歯の根しか残らない。神経がないので痛みはなくなるが、歯根が膿むとがまんできない激痛に見舞われることとなる。

診察では、Cのほかにも、「クラウン」や「ブリッジ」などという言葉が出てくる。クラウンはかぶせもののこと、ブリッジは入れ歯(部分入れ歯、総入れ歯)のこと。年をとったとき「ブリッジ」と連呼されないよう、定期的に検診を。

電池の「単1」「単2」の「単」ってそもそも何?

乾電池は、メーカーが違っていても、たとえば、同じ単1であれば、大きさや形の規格がすべて統一されている。この「単○」という呼び方は日本独自のものだ。

一方、電池には「単３」などという文字とは別に、「Ｒ６」のようなアルファベットと数字が書かれている場合もある。その記号は、世界に通用する規格表示である。

国際規格では、単１形は「Ｒ20」、単２形が「Ｒ14」、単３形が「Ｒ６」で表される。「Ｒ」は「Round（丸い）」の略で、形状の丸い電池という意味だ。

また、「ＬＲ６」のように、Ｒの前につくアルファベットは、電池の種類を表す。Ｌはアルカリ電池のことを示し、ＬＲ６という表示で、「アルカリ電池の丸形であり、サイズは単３」ということがわかる。

なお、単１などの「単」は、単体の電池を複数パックした組み電池に対して、単体の電池であることからつけられた。「１」という数字は、電池の基本となる大きさとして、まず１という数字がふられたという。

乾電池は、最初は単１電池を中心に普及し、単２、単３と小型化してきた。単４電池、単５電池は、ポケットラジオなど、従来の電気製品の小型化にともない、使用する電池の小型化が求められたことから、後に発売された。

■参考文献

「モノづくり解体新書」（日刊工業新聞社）／「図解雑学元素」富永裕久（ナツメ社）／「よくわかる最新元素の基本と仕組み」山口潤一郎（秀和システム）／「一歩身近なサイエンス」Ｑｕａｒｋ編／「科学・知ってるつもり77」東嶋和子、北海道新聞取材班（以上、講談社ブルーバックス）／「科学の奇妙な世界」Ｊ・アカンバーク（ＨＢＪ出版局）／「なぜでしょう科学質問箱1～5」日本放送協会編（法政大学出版会）／「動物の一生不思議事典」戸川幸夫監修（三省堂）／「解剖生理改訂版」江藤盛治、芹澤雅夫（医学芸術社）／「よくわかる解剖学の基本としくみ」坂井建雄（秀和システム）／「人体68の謎」豊川裕之、岩村吉晃、兵井伸行（築地書館）／「脳と心のトピックス１００」堀忠雄、齋藤勇編（誠信書房）／「科学者伝記小事典」板倉聖宣（仮説社）／「世界を変えた科学の大理論１００」大宮伸光（日本文芸社）／「早わかり科学史」橋本浩（日本実業出版社）／「偉大な科学者の横顔」柴田村治、永田恭一、中村了吉、石田祐夫（研成社）／「木の１００不思議」「森林の１００不思議」日本林業技術協会編（以上、東京書籍）／「気象・災害ハンドフック」ＮＨＫ放送文化研究所編（ＮＨＫ出版）／「異常気象を知りつくす本」佐藤典人監修（インデックス・コミュニケーションズ）／「都市型集中豪雨はなぜけ起こる？」三上岳彦（技術評論社）／「単位」伊藤英一郎監修（ＰＨＰ）／「単位の歴史」イアン・ホワイトロー著富永星訳（大月書店）／「知っておきたい単位の知識２００」伊藤幸夫、寒川陽美（フレックスコミックス）「身近な単位がわかる絵事典」村越正則（ＰＨＰ）／「こんなにおもしろい単位」白鳥敬（誠文堂新光社）／「単位の成り立ち」西条敏美（恒星社厚生閣）／「単位の世界をさぐる」矢野宏（講談社ブルーバックス）／「単位のいま・昔」小泉袈裟勝（日本規格協会）／「単位がわかる」高田誠二（丸善出版）／「数え方と単位の本（1）」飯田朝子（学研マーケティング）／「単位の小事典」高木仁三郎（岩波書店）／「単位と記号雑学事典」白鳥敬（日本実業出版社）／「単位・定数小事典」海老原寛（講談社サイエンティフィク）／「トコトンやさしい単位の本」山川正光（日刊工業新聞社）／「図解雑学単位のしくみ」高田誠二／「図解雑学単位と定数のはなし」小谷太郎（以上、ナツメ社）／朝日新聞／読売新聞／毎日新聞／ほか

※本書は、『ここが一番おもしろい理系の話』(2018年/青春出版社)、『世の中の裏が見える理系の話』(2011年/同)、『モノの「単位」で知る世の中のカラクリ』(2011年/同)の内容に新たな情報を加え、改題の上、再編集したものです。

編者紹介

話題の達人倶楽部
カジュアルな話題から高尚なジャンルまで、あらゆる分野の情報を網羅し、常に話題の中心を追いかける柔軟思考型プロ集団。彼らの提供する話題のクオリティの高さは、業界内外で注目のマトである。本書には、できる大人がおさえたい「科学のネタ」を完全収録。最新テクノロジー、モノのメカニズムから、宇宙、気象、人体、動植物、モノの単位まで——。世の中の裏が面白いほど見える本。

子(こ)どもにウケる！　不思議(ふしぎ)が解(と)ける！
科学(かがく)のネタ大全(たいぜん)

2020年 6 月 1 日　第 1 刷
2021年 10 月 10 日　第 2 刷

編　　者　話題の達人倶楽部

発 行 者　小 澤 源 太 郎

責任編集　株式会社プライム涌光
電話　編集部　03(3203)2850

発 行 所　株式会社青春出版社
東京都新宿区若松町12番1号〒162-0056
振替番号　00190-7-98602
電話　営業部　03(3207)1916

印刷・大日本印刷　　製本・ナショナル製本

万一、落丁、乱丁がありました節は、お取りかえします

ISBN978-4-413-11327-4 C0040

できる大人の大全シリーズ

誰も教えてくれなかった

お金持ち100人の秘密の習慣大全（たいぜん）

㊙情報取材班［編］

ISBN978-4-413-11188-1

できる大人の

常識力事典

話題の達人倶楽部［編］

ISBN978-4-413-11193-5

日本人が知らない意外な真相！

戦国時代の舞台裏大全（たいぜん）

歴史の謎研究会［編］

ISBN978-4-413-11198-0

すぐ試したくなる！

実戦心理学大全（たいぜん）

おもしろ心理学会［編］

ISBN978-4-413-11199-7

できる大人の大全シリーズ

仕事の成果がみるみる上がる!

ひとつ上のエクセル大全（たいぜん）

きたみあきこ

ISBN978-4-413-11201-7

「ひらめく人」の思考のコツ大全（たいぜん）

ライフ・リサーチ・プロジェクト[編]

ISBN978-4-413-11203-1

通も知らない驚きのネタ!

鉄道の雑学大全（たいぜん）

櫻田 純[監修]

ISBN978-4-413-11208-6

「会話力」で相手を圧倒する

大人のカタカナ語大全（たいぜん）

話題の達人倶楽部[編]

ISBN978-4-413-11211-6

できる大人の大全シリーズ

3行レシピでつくる おつまみ大全（たいぜん）

杵島直美　検見﨑聡美

ISBN978-4-413-11218-5

小さな疑問から心を浄化する!

日本の神様と仏様大全（たいぜん）

三橋健（監修）/ 廣澤隆之（監修）

ISBN978-4-413-11221-5

もう雑談のネタに困らない!

大人の雑学大全（たいぜん）

話題の達人倶楽部［編］

ISBN978-4-413-11229-1

日本人の9割が知らない!

「ことばの選び方」大全（たいぜん）

日本語研究会［編］

ISBN978-4-413-11236-9

できる大人の大全シリーズ

古代日本の実像をひもとく

出雲の謎大全(たいぜん)

瀧音能之

ISBN978-4-413-11248-2

できる大人はやっぱり！ 語彙力［決定版］

話題の達人倶楽部［編］

ISBN978-4-413-11275-8

できる大人は知っている！

雑学 無敵の237

話題の達人倶楽部［編］

ISBN978-4-413-11277-2

仕事ができる人の 頭の整理学大全(たいぜん)

ビジネスフレームワーク研究所［編］

ISBN978-4-413-11287-1